D0193001

De eerste steen

Van Rom Molemaker zijn eerder verschenen:

Apenbillen door de bocht
Glad ijs
Het blauwe huis
Het goud van Rompel
De held van Madurodam
Helden
De hut van Noag
(K)walrave
Olaf de Polaf

Rom Molemaker

De eerste steen

Van Holkema & Warendorf

Voor Joke van Koningshoven

Met dank aan: Cor Willemsen, Derek Schippers
én Joram, natuurlijk

Tweede druk 2005

ISBN 90 269 9620 9

Postbus 97, 3990 DB Houten

www.unieboek.nl

Tekst: Rom Molemaker
Ontwerp: Ontwerpstudio Johan Bosgra bNo, Baarn
Foto omslag: © PhotoDisc/Getty Images
Opmaak: ZetSpiegel, Best

'Red White Army!'

Achter het doel aan de overkant klonk het geluid van een grote trommel. Als bij toverslag vulden drieduizend man op de tribune aan de korte zijde het stadion met geluid. Ritmisch handgeklap en de massale uitroep: 'Robur!' En precies tegelijk de armen schuin omhooggestrekt. Alsof het afgesproken was. Maar dat was natuurlijk ook zo.

Er ging een schok door me heen. Bij voetbalwedstrijden op de televisie hoorde je de supporters ook wel, maar dit geweld had ik niet verwacht. Met open mond keek ik naar de overkant: een tribune vol V-tekens. Oom Paul keek me van opzij aan en glimlachte tevreden. 'Klinkt goed, of niet?' zei hij. 'Ziet er goed uit.'

In het seizoen waarin FC Robur eindelijk, na jaren afwezigheid, weer in de eredivisie speelde, was ik voor het eerst van mijn leven bij een wedstrijd in het stadion. Zelf was ik geen voetballer. Ik had wel een tijdje bij een club gezeten, maar ik kon er niet veel van. Niet zoals Johnny, van wie ik wist dat hij op datzelfde moment aan de overkant op de tribune zat. Johnny was een talent. Hij speelde bij Robur in de C1 en reisde het hele land af voor wedstrijden. Ik keek alleen maar op de televisie naar voetballen. De wedstrijden van Robur volgde ik omdat het nu eenmaal de club van mijn woonplaats was.

Oom Paul had me voor een wedstrijd uitgenodigd toen hij bij ons op bezoek was.

'Ben je echt nog nooit in het stadion geweest?' vroeg hij. 'Dan heb je wat gemist, jongen. Lekker sfeertje daar, spannend en toch gezellig.' Ik keek naar mijn vader, die in zijn stoel bij het raam zat. Zijn mondhoeken gingen omlaag.

'Voetbal,' zei hij misprijzend. 'Tijdverspilling.'

'Natuurlijk,' zei oom Paul onverstoorbaar. 'Maar soms is voetbal de

belangrijkste bijzaak ter wereld. Als je 's avonds op de tribune zit, bijvoorbeeld.'
Mijn vader snoof nog eens, maar hij zei er verder niets meer over. En hij verbood het ook niet.

De wedstrijd werd 's avonds gespeeld, tegen ATOS '34. Robur had het tot dan toe aardig gedaan en stond in de middenmoot. ATOS '34 was een subtopper, op jacht naar Europees voetbal.
Vanaf de vier hoeken van het stadion beschenen de lampen van de lichtmasten het veld, en ik kon me niet herinneren ooit iets te hebben gezien dat zó groen was. We waren ruim op tijd en zo zag ik het stadion langzaam vollopen. De thuiswedstrijden waren meestal uitverkocht, vertelde oom Paul. De Robur-supporters stonden bekend om hun fanatisme, en veel clubs kwamen met angst en beven naar de Kantelberg.
Aan de overkant was het weer rustig geworden. De tribune daar was verdeeld in twee stukken. In een ervan, in de hoek, zaten de supporters van ATOS '34. Tussen hun vak en dat ernaast stond een wand van kunstglas. Daarboven hing een net, tot aan het dak van de tribune. Dat was voor de veiligheid, vertelde oom Paul. Dat ze niet bij elkaar konden komen. Dat ze elkaar niet konden doodgooien. Vroeger zaten de supporters van de clubs gewoon door elkaar. Maar dat zou nu niet meer gaan. Dat zou moord en doodslag worden. Ik keek hem aan om te zien of hij soms een geintje maakte, maar hij zag er serieus uit. Ik keek weer naar de overkant. Daar, ergens op die tribune, zat Johnny. Niet te onderscheiden, want dat was te ver weg. En het grootste deel van de supporters daar had het shirt van de club aan: rood met wit, de kleuren van FC Robur.
Johnny was mijn vriend. Op school dan. Daarbuiten zagen we elkaar niet zo vaak, maar op school zaten we bij de meeste lessen naast elkaar, al vanaf de eerste dag in de brugklas. Hij had weleens verteld dat hij supporter van FC Robur was en een seizoenkaart had. Zijn verhalen over de wedstrijden in het stadion gingen meestal langs me heen, maar nu begreep ik waarom hij er altijd zo vol van was. Hij zat altijd vlak bij het vak van de supporters van de tegen-

partij. 'Lekker wezen rellen,' zei hij wel eens op maandag, na een thuiswedstrijd. 'De vijand gepest.' Ik wist nooit of ik die verhalen serieus moest nemen. In elk geval zat nu iedereen zo te zien recht voor zich uit te kijken. Geen rel te beleven.

De wedstrijd begon sensationeel. Robur had de aftrap en speelde de bal eerst naar achteren. Bob Colenbrander, de centrale verdediger, pikte de bal op en legde hem opzij voor Stefan de Boer, die hem dwars over het veld naar voren joeg. De lange bal. Later zou ik merken dat dat de traditionele opening van Robur was. Gewoon naar voren die bal en dan maar zien wat ervan kwam. Seth Poolland, schaduwspits, kreeg de bal precies op zijn hoofd. Hij legde terug op Bernardo Sital, de rechterspits. Snelle schijnbeweging, tegenstander voor schut en in één beweging door de bal op doel. Buiten bereik van de keeper knalde de bal met een metalen tik tegen de buitenkant van de paal en hij vloog over de achterlijn. Iedereen was al overeind gekomen, en zakte als een lekgeprikte ballon terug op de stoel. Aan de overkant trokken direct de trommen weer van leer, maar wat ze erbij riepen kon ik niet verstaan.
'Wat roepen ze?' vroeg ik aan oom Paul. 'Daar aan de overkant?'
'Red White Army,' zei hij trots. 'Wat een schot, man!' Hij had een kleur van opwinding. *Red White Army*, natuurlijk. Het rood-witte leger van Robur dat ten strijde trok tegen de vijand, niet alleen op het veld, maar ook op de tribune. Ik keek om me heen. Ergens schuin voor me in ons vak werd er meegedaan, maar om me heen hield iedereen zijn mond. Het grote geluid kwam van de overkant, en ik wilde opeens dat ik dáár zat.

De rechterverdediger van ATOS '34 was een beest van een kerel. Hij had lang zwart haar, dat hij in een staart droeg, en een baard van een paar dagen. Meedogenloos voor zijn tegenstander.
'Kijk, onze nieuwe linkerspits,' zei oom Paul, 'Rommy van Bemmel. Razendsnel is die jongen.' Het zou kunnen, maar hij kreeg in de eerste helft nauwelijks kans tegen de woesteling tegenover hem. Een paar keer had hij geprobeerd hem te passeren ('een actie

te maken,' zei oom Paul), maar hij werd of eenvoudig aan de kant gezet, of neergehaald ('onder het gras gestopt'). Elke keer werd dat gevolgd door een massaal fluitconcert vanaf de tribunes, maar de ATOS-verdediger bleef onverstoorbaar zijn gang gaan. De scheidsrechter floot zo nu en dan wel, maar meer dan een vrije trap kon er niet af. Geen kaart, zelfs geen geel, en Van Bemmel speelde uiteindelijk elke bal die hij ontving terug of opzij.

Maar op een moment werd op links een hoge bal over de ATOS-verdediging gespeeld. Van Bemmel was net even bij zijn tegenstander vandaan en pikte de bal in de vrije ruimte op. Een razende sprint langs de zijlijn. Zijn tegenstander was ook niet langzaam, maar hij kon niet naast Van Bemmel komen. De sloper van ATOS was niet te beroerd een overtreding te maken. Een machtige sprong voorwaarts, het linkerbeen gestrekt naar voren, en dan vol op de enkel. Van Bemmel kwam meters verder languit liggend tot stilstand. De ATOS-speler was onschuldig. Dat zei hij zelf, en hij was er toch het dichtst bij geweest. Hij gebaarde tegen de scheidsrechter dat hij de bal speelde. Hij kreeg een gele kaart, meer niet.

'Hoeren-hoeren-hoeren-hoerenjong!!' donderde het van de overkant. Ik keek opzij naar oom Paul, maar hij reageerde er niet op. 'Dat was natuurlijk een rode kaart,' zei hij alleen maar. Ik vroeg me af of Johnny ook zou meeschreeuwen.

Het kwaad werd gestraft. De vrije trap van Van Bemmel was op de centimeter nauwkeurig. Bob Colenbrander, mee naar voren gegaan, maakte oorlog in de zestien en Miroslav Bajic hoefde hem alleen nog maar in te tikken. Robur leidde met 1-0. Uit de luidsprekers klonk La Cucaracha, ten teken dat Robur gescoord had. Dat ze dat buiten het stadion ook wisten.

Wat ik me nog van die wedstrijd herinner, was, dat iemand een rol toiletpapier op het veld had gegooid. Een lang stuk was afgerold en ongeveer op de hoek van het zestienmetergebied van het ATOS-doel terechtgekomen. Opeens kwam de wind eronder en verhief de sliert zich met golvende bewegingen tot ver boven het gras. Langzaam en gracieus zweefde hij als een traag dansende slang in het schijnsel van

de lichtmasten. Soms daalde hij, en net als ik dacht dat hij weer op het veld zou neerkomen, ging hij weer omhoog en zweefde verder, in de richting van de zijlijn. Het werd langzaam stil in het stadion en iedereen keek naar de witte papieren sliert, zich afvragend waar hij terecht zou komen. Nog eenmaal dreef de slang omhoog, toen zakte hij sierlijk naar beneden en wikkelde zich met een zucht om de hulpeloze grensrechter, die alle moeite had om zijn hand, die de vlag vasthield, uit het papier te krijgen. Applaus. Kunst op het voetbalveld.
Halverwege de tweede helft scoorde ATOS de gelijkmaker, en vijf minuten voor tijd werd Van Bemmel nog maar weer eens door zijn tegenstander getorpedeerd. Rode kaart voor de beul van ATOS. *Auf Wiedersehen!* Miroslav Bajic was de strafschopspecialist en maakte geen fout. FC Robur won die gedenkwaardige wedstrijd met 2-1.

Buiten het stadion, op weg naar onze fietsen, liepen we op het parkeerterrein Johnny tegen het lijf. Onder zijn openhangende zwarte jack zag ik de kleuren van het Robur-shirt. Hij liep samen met een paar andere jongens, allemaal wat ouder dan hij, de andere kant op. Tot mijn verrassing zag ik dat een van hen Harry van Walsteeg was, mijn buurjongen. Hij was een jaar of vier, vijf ouder dan ik en woonde nog maar net naast ons. Johnny zag me eerst niet.
'Johnny!' riep ik. 'Hier!' Het groepje hield in en Johnny kwam naar me toe.
'Daar was je,' zei hij. 'Waar heb je gezeten?'
'In vak P,' zei ik.
'O ja.' Hij lachte. 'Het gezinsvak.'
Ik geneerde me. Het ontbrak er nog maar aan dat ik met mijn vader en mijn moeder was. Maar Johnny ging er niet verder op door, en Harry en de andere jongens stonden er alleen maar bij. Harry grijnsde zo'n beetje.
'Toffe wedstrijd, man,' zei Johnny. 'Wat een scheidsrechter, hè? Wat een dooie lul.'
'Ja.' Ik keek naar de andere jongens, die stonden te wachten. Ze keken naar mij en mijn oom, die achter me stond, en ik voelde me maar een klein mannetje.

‘Nou,’ zei ik. ‘Ik zie je morgen wel, hè?’
‘Zeker weten.’ Hij draaide zich om en ging naar zijn clubje toe.
‘Vriendje van je?’ vroeg oom Paul, toen we verder liepen.
‘Ja,’ zei ik, ‘van school. Hij zit altijd op die tribune aan de overkant.’
‘Aha, de harde kern.’
‘Harde kern?’ We waren bij de fietsen aangekomen.
‘Ja, je weet wel. Beetje rellen als het zo uitkomt. Tegenpartij uitschelden, supporters pesten, dat soort dingen.’
‘En vechten?’
‘Er is overal wel wat. Maar de laatste tijd is het hier tamelijk rustig.’
‘Ik vond het wel wijs,’ zei ik. ‘Dat zingen en zo.’
‘Ja,’ zei oom Paul. ‘Sfeertje, dat zei ik toch.’ We laveerden tussen de vele voetgangers door, die in een tevreden stemming bij het stadion vandaan liepen. Ik keek om. De lichtmasten brandden nog en in de verte hoorde ik muziek uit de luidsprekers komen. Ik realiseerde het me toen nog niet zo, maar ik was verkocht, helemaal.

'Mag je wel alleen naar het voetballen van je moeder?'

Harry van de buren had een zus. Ze was jonger dan hij en zat op school twee klassen hoger dan ik. Ze heette Dana en bemoeide zich, net als haar broer, niet met mij. Van hem kon het me niet schelen, maar van haar vond ik het jammer. Ze was prachtig om te zien. Ze had een mooi gezicht met grote, donkere ogen en licht golvend, halflang, donkerbruin haar. En ze liep zo mooi, vond ik. Met lange, verende passen. Ze zei wel eens hallo als we elkaar toevallig tegenkwamen, en dan mompelde ik wat terug. Met, als het even kon, een blik op haar borsten onder haar truitje of T-shirt.
Ze zat op dezelfde school als ik, in vier havo. Ik had haar daar al eerder gezien, maar toen woonde ze nog aan de andere kant van de stad. En nu was ze zomaar naast me komen wonen. Harry was al van school. Hij studeerde aan de hogeschool, geloof ik. Ze woonden bij hun moeder. Hun ouders waren gescheiden.
In de pauzes op school zag ik Dana soms, meestal met vriendinnen. Een enkele keer met een jongen, iemand uit haar klas misschien. Niet dat ik me illusies maakte, maar ik was blij dat het niet altijd een jongen was. Ze had zo te zien geen vast vriendje, niet op school in elk geval. En bij haar thuis had ik daar ook nog nooit iets van gezien.
Op de maandag na de wedstrijd tegen ATOS, toen ik met Johnny in de pauze over het grote plein voor de school liep, zag ik haar weer. Ze stond met een jongen over een multomap gebogen, die voor hen op een muurtje lag.
'Tof, man,' zei Johnny naast me. 'Gewonnen van ATOS. Goeie wedstrijd, hè?'
'Hm.' Ik knikte. Dana en de jongen stonden vlak naast elkaar. Haar haar raakte bijna zijn gezicht en ik wilde dat ik twee klassen hoger zat. We zouden samen huiswerk maken. Ik kon haar helpen met wiskunde. Daar was ik goed in. We zouden over haar werk gebogen

zitten, haar haar zou mijn gezicht raken en ik zou haar geur inademen. Een vleug daarvan waaide wel eens naar me toe, als ik haar passeerde in het paadje achter het huis.
Johnny stootte me aan. 'Wat jij,' zei hij.
Ik bleef naar Dana en de jongen kijken. 'Wat?' vroeg ik. Ik had niet gehoord wat hij zei.
Hij zag naar wie ik keek. 'Dat is de zus van Harry,' zei hij. 'Wat een stoot, hè?'
'Ze wonen naast ons,' zei ik.
'Wat zeg je me nou?' Hij keek me verbaasd aan. 'Daar heeft Harry me nooit iets van verteld.'
Daar had Harry ook geen reden toe natuurlijk. Hij wist tot gisteren niet eens dat Johnny en ik elkaar kenden.
'Jij boft!' zei Johnny.
'Ik spreek haar nooit,' zei ik.
'Maar dat zou je wel willen, of niet?'
'Heb je zelf nog gevoetbald in het weekend?' vroeg ik.
'Nee, nee, zeg eens eerlijk. Zou je dat willen?'
'Heb je nog gescoord?'
'Eén keer bijna.' Hij gaf het op. 'En één assist.'
'Een assist?'
'Een voorzet.'
'Gewonnen?'
'Gelijk, een-een.'
'Tegen wie?'
'DIOS.' Hij haalde zijn neus op. 'Boeren.'
Dat was een manier om jezelf boven je tegenstander te plaatsen. Je noemde hen boeren, en dat was dat.
Dana liep inmiddels met de jongen naar binnen. Ik keek haar na. Lange, verende passen.
'Lekker kontje,' zei Johnny. Hij stootte me aan. 'Ja, toch?'
Maar ik had geen zin om met hem over Dana te praten. Hij deed heel anders over meisjes dan ik. Een beetje grof, zoals zoveel jongens deden. Niet dat ik mezelf beter vond dan hem, maar ik droomde nu eenmaal meer als het over meisjes ging. Over verre prinsessen, te

verheven om zomaar aan te spreken. En zeker te verheven om opmerkingen over hun kontje te maken.
'Ja, toch?' Johnny bleef aandringen.
'Daar let ik niet op,' zei ik, gemaakt kakkerig. 'Dat is me te laag-bij-de-gronds.'
'O ja,' zei Johnny. 'Daar ben jij zeker te romantisch voor.'
Romantisch, dat vond ik wel een prettig woord. Beter dan onhandig. Want dat was het in feite. In gesprekken met meisjes voelde ik me vaak erg onhandig, en ik had dan altijd het gevoel dat de rode kleur van mijn gezicht als een zonsondergang tot in de verre omtrek te zien was. Dan waren romantische fantasieën veel veiliger. Die kon je voor jezelf houden. We waren bij de deur en gingen naar binnen.
'Als ik nog eens naar het stadion ga,' zei ik, 'wil ik bij jullie in het vak. Dat lijkt me veel leuker.'
'Weinig kans.' Johnny schudde zijn hoofd. 'Allemaal seizoenkaarten. Ons vak is het hele seizoen al uitverkocht. Maar als er een keer iemand van onze groep niet kan, kun je misschien zijn kaart lenen. Dan kun je de harde kern eens van dichtbij aan het werk zien.' Hij grijnsde. 'Ik geef wel een seintje tegen die tijd.'

Tegen die tijd bleek vier weken later te zijn: de wedstrijd tegen Hellas, een degradatiekandidaat. Een van de jongens van het clubje van Johnny, ene Theo, was ziek, en Johnny belde me op dat ik zijn kaart mocht gebruiken.
'Alweer naar dat voetballen?' Mijn vader vond het maar niks. 'Heb je niets beters te doen?'
'Het is gratis,' zei ik. 'Ik mag op de kaart van iemand anders.'
'Je moet het zelf weten.' Mijn vader haalde zijn schouders op en las weer verder. 'Is je huiswerk af?'
'Alleen nog Engels,' zei ik. 'Dat doe ik vanavond.'
Hij zei niets meer. Hij las. Ik liep naar de deur en voelde me opgewonden. Dit zou anders zijn dan die keer met oom Paul, dat wist ik. Ik wilde zo snel mogelijk naar Johnny toe.
'Doe je voorzichtig, jongen?' vroeg mijn moeder.

'Wat kan er nou gebeuren?' zei ik. 'Ik ga alleen maar naar een voetbalwedstrijd kijken.'
'Nou ja, je hoort zoveel over vechtpartijen.' Ze keek me bezorgd aan.
'Bij Robur niet, volgens oom Paul,' zei ik. 'Er gebeurt niks.' Ik haastte me het huis uit.
Ik was nog nooit bij Johnny thuis geweest. Hij woonde in een nieuwe wijk, met huizen die allemaal op elkaar leken. Het was zoeken, en ik kon zijn straat niet vinden. Toen kwam Harry opeens aanfietsen. Hij reed me eerst voorbij, en had pas op het laatste moment in de gaten dat ik het was. Hij keek om en ik fietste achter hem aan.
'Ga je ook naar Johnny?' vroeg ik.
'We gaan naar het voetballen,' zei hij.
'Ik ook,' zei ik.
Hij keek me van opzij aan. 'Weer met je oom in het gezinsvak?' Hij wist het nog.
'Nee,' zei ik. 'Met Johnny. Er is iemand ziek en ik mag op zijn kaart.'
Hij keek alsof hij vond dat ze dat eerst wel eens aan hem hadden mogen vragen. 'Wie is er ziek?' vroeg hij.
'Theo, geloof ik.'
Harry ging rechtsaf zonder iets te zeggen, en met een slinger kon ik nog net de bocht halen en achter hem aan rijden. Ik voelde me ongemakkelijk en zei niets meer.
In een stille straat stopte Harry voor het huis met nummer 31. Johnny's fiets stond klaar in de voortuin. Harry floot op zijn vingers, en boven ging de luxaflex omhoog. Johnny verscheen voor het raam. Hij gebaarde dat hij eraan kwam. We wachtten. Harry zei niets en ik ook niet.
De voordeur ging open en Johnny kwam tevoorschijn. Hij pakte de fiets, toen er achter hem een vrouw verscheen. Ze droeg een kamerjas. Haar blonde haar hing tot op haar schouders en ze zag er bijna te jong uit om Johnny's moeder te zijn. Ze riep Johnny terug en zei iets tegen hem.
'Lekker wijf,' zei Harry. Ik zweeg geschokt. Zoiets zei je niet over de moeder van een vriend van je. Harry keek me van opzij aan. Hij grijnsde. 'Of niet soms?' Hij wachtte het antwoord niet af, maar keerde zijn fiets en reed langzaam weg.

Johnny maakte haast en liep met zijn fiets naar de straat. 'Hoi,' zei hij. 'Ik geef straks je kaart wel.' Hij ging op de trappers staan en sprintte achter Harry aan. Ik volgde maar weer. Toen Johnny naast Harry ging rijden, bleef me niets anders over dan achter hen te blijven. Er was niet genoeg ruimte voor drie en ze praatten alleen maar met elkaar. Over de wedstrijd, over de boeren van Hellas, en over de wedstrijd die Johnny de dag daarvoor gespeeld had. Hij had verloren, begreep ik, en niet zo zuinig ook.
'Die scheids was echt een mega-eikel,' hoorde ik hem zeggen. 'Hij floot alleen maar tegen me. Ik kon niks doen of hup, daar kwam hij weer met dat klotefluitje van hem.'
Harry zei iets terug dat ik niet verstond. Ze droegen allebei een zwart jack, Harry met de tekst *Forza Robur* achterop, in goud met rode letters. Ik voelde me buitengesloten, maar dat zou straks wel anders worden.
Dichter in de buurt van het stadion zagen we meer fietsers en voetgangers die hetzelfde doel hadden als wij. Meest mannen, met petjes of sjaals in de Robur-kleuren. Bij het stadion zelf was het druk. Het was een kwartier voor de wedstrijd.
Er hing een vrolijke spanning in de lucht. Het was goed weer om te voetballen, en Robur zou Hellas wel even verder in de degradatieproblemen helpen. Dat was de verwachting, zo hoorde ik overal om me heen. We zetten onze fietsen op slot en ik liep achter Harry en Johnny aan. Ze praatten nog steeds met elkaar en leken helemaal niet meer op me te letten.
Ik ging naast Johnny lopen. 'Geef me die kaart even,' zei ik. 'Dan heb ik hem vast.'
Johnny haalde het pasje uit zijn binnenzak en gaf het aan mij. 'Verlies het niet,' zei hij, 'want dan heb je een groot probleem.'
'Zo is het,' zei Harry. 'Theo is groot en breed.'
We waren bij de ingang aangekomen en liepen een gang in, onder de tribune. Aan het eind was een draaihek, waar we onze kaart moesten laten zien voor controle. Het hek draaide en ik kon naar binnen. Harry liep voorop, de trap op. Bovenaan bleef hij staan, met Johnny naast zich. Samen keken ze zwijgend naar het veld. Ik

stond achter hen en keek om me heen. Het vak achter het doel was voor ongeveer driekwart gevuld, maar er kwamen nog steeds mensen bij. De lucht was vol geroezemoes en er klonk muziek uit de luidsprekers. Clubshirts zag ik, veel meer dan aan de overkant. Talloze sjaals en petjes in de kleuren van Robur.
Harry en Johnny draaiden zich om en gingen de tribune op. Johnny wenkte me.
'Wat deden jullie daar?' vroeg ik zacht.
'Dat hoort erbij.' Johnny lachte verontschuldigend. 'We kijken altijd eerst even naar het veld.' Ik keek hem vragend aan. 'Om in de stemming te komen,' zei hij.
We waren aan de zijkant van het vak en liepen langs de drie meter hoge wand van plexiglas die de scheiding vormde met de supporters van de tegenpartij. Aan de andere kant stonden mensen, vooral in de kleuren blauw en geel. 'Hellas,' zei Johnny minachtend.
Harry stond stil, zo ongeveer met zijn neus tegen het plexiglas. Hij deed niets, hij keek alleen maar. De meeste mensen aan de andere kant merkten hem niet op, maar vlakbij stond een jongen van een jaar of achttien die terugkeek. Hij was dik en droeg een geel en blauw Hellas-shirt. Met zijn handen in zijn zakken stond hij Harry aan te kijken
'Hé, bolle,' riep Harry. 'Mag je wel alleen naar het voetballen van je moeder?' De jongen in het andere vak kwam langzaam naar het plexiglas toe. Hij had zijn handen uit zijn zakken gehaald en zag er opeens behoorlijk breed uit. Ik was blij dat hij niet bij ons kon komen. Toen hij niet verder kon, bleef hij staan, zijn gezicht niet meer dan een paar decimeter bij dat van Harry vandaan. Hij zei niets. Keek Harry alleen maar aan.
'Tut tut,' zei Harry onverstoorbaar. 'Je wordt toch niet boos? Dat ik je bolle noem? Dat zullen ze toch wel eens vaker tegen je zeggen? Of niet, papzak?'
De Hellas-supporter haalde adem en spuugde voluit tegen de scheidingswand. Een grote gore klodder droop langs het glas naar beneden. Hij zei nog steeds niets.
Harry was van schrik toch even een pas achteruitgegaan, maar hij

kwam weer terug. 'Maak je dat wel schoon?' zei hij. 'We zijn een nette club, snap je. Elke keer dat hier kloteboeren zoals jij komen, moeten we weer jullie rotzooi opruimen. Viezerik!' Hij draaide zich om.
'Ik sla je kop van je romp!' riep de Hellas-supporter hem na.
Harry stak, zonder zich om te draaien, zijn middelvinger op. 'Hij kan praten,' zei hij. 'Hoor je dat?'
Johnny lachte naar me. 'Die Harry,' zei hij
Ik keek nog eens naar het andere vak. Ik kende niemand die daar stond, maar ik voelde opeens het verschil tussen hen en ons. Van de andere kant was niets goeds te verwachten. Het was de vijand. Een paar Hellas-supporters keken onze kant op, maar de meesten hadden geen oog voor ons. Wat daarnet gebeurde, was normaal, begreep ik.
We gingen verder de tribune op. Harry maakte een hele rondgang, schudde handen en maakte hier en daar een praatje. Johnny en ik bleven staan, naast een paar jongens die ik vaag herkende van de vorige keer op het donkere parkeerterrein.
'Dit is Marten,' zei Johnny. 'Hij komt op Theo zijn kaart.' De jongens gaven me een hand. Dirk, hoorde ik, en Bert, Remco. Dat vond ik prettig, dat handen schudden. Het gaf me het gevoel dat ik erbij hoorde. Ik haalde diep adem en keek nog eens naar de Hellas-tribune. De vijand. Die ik aankon, samen met mijn Robur-vrienden.
Ik keek achterom. Harry stond een stuk hoger bij een paar grote, brede jongens, mannen eigenlijk. De een droeg een Robur-petje, de ander niet. Zijn hoofd was kaalgeschoren. Ze rookten. Ze stonden rustig naast elkaar te praten. Ik voelde ontzag voor hun onbeweeglijkheid. Harry zei nog wat, en Kaalmans gaf hem een vriendschappelijke klap op zijn schouder. Toen ging Harry weer door, naar een groepje verderop.
'Wat doet hij toch?' vroeg ik aan Johnny. 'Harry, bedoel ik,' voegde ik eraan toe, toen Johnny me niet-begrijpend aankeek.
Hij zocht Harry met zijn ogen. 'Een paar groepjes langs. Vragen of er nog wat gebeurd is.'
'Wat gebeurd? Waar?'

'Laat maar zitten,' zei Johnny, met een schuin oog naar Remco en Bert kijkend, die met elkaar stonden te praten. 'Niks wat belangrijk is, voor jou dan.'
'Ik snap het niet.'
'Hoeft ook niet.' Johnny keek naar het veld, waar de spelers met hun warming-up bezig waren. Hij zei niets meer.

‘Laat maar liggen, hij is dood! Hij is dood! Hij is doo-óó-ood!’

Na een tijdje kwam Harry weer bij ons staan. Hij haalde een pakje sigaretten uit zijn zak. ‘Rook je?’ vroeg hij aan mij. Ik schudde mijn hoofd, maar heel even wilde ik dat ik wél rookte. Remco en Bert staken er ook een op. Johnny niet. Johnny was een sportman.
Het was vijf minuten voor de wedstrijd. De spelers waren van het veld gegaan. Schuin boven me hoorde ik opeens de grote trom. Binnen een paar seconden klapte de hele tribune mee en riep: ‘Robur!’, met v-tekens en al. Ik aarzelde even, toen deed ik mee. Het kwam er eerst voorzichtig uit, maar dat duurde niet lang. Het was fantastisch. En ik vond iedereen op de tribune geweldig. Het was één grote familie. Waarom was ik niet eerder met Johnny meegegaan, dacht ik. Hij had het er al zo vaak over gehad.
De Hellas-supporters kwamen met een antwoord. Ik kon niet precies verstaan wat ze riepen, maar dat maakte al snel niet meer uit. Robur was in de meerderheid en overstemde de tegenstander met gemak.
Uit de luidsprekers klonk het geluid van elektrische basgitaren: *The Eye of the Tiger*. Iedereen die nog zat, ging staan. De scheidsrechter en de grensrechters kwamen uit de spelerstunnel, gevolgd door de spelers. De muziek daverde uit de luidsprekers. Op verschillende plekken werden witte papiersnippers met handenvol in de lucht gegooid. Applaus en gejuich.
Ik had dat al één keer van een afstand gezien, maar hier stond ik ermiddenin. Ik had het kippenvel op mijn armen staan.

De wedstrijd zelf was waardeloos. Robur had geen zin om te voetballen en Hellas kon het helemaal niet. Er werd meer ingegooid dan gevoetbald. De scheidsrechter deelde in de malaise en floot maar wat in het rond.
Maar ik genoot. De sfeer op de tribune leek niet op die aan de over-

kant. Er werd veel meer meegeleefd en gezongen. Ik aarzelde niet meer en deed gewoon mee. We scholden samen op de scheidsrechter, op de tegenstander, op de eigen ploeg als het fout ging. En het ging vaak fout. We deden het allemaal samen en ik hoorde erbij.
'Moet je eens op hem letten,' zei Johnny opeens tegen me. Hij wees naar de speler met rugnummer 7. 'Rommy van Bemmel. Dát is een speler, jongen. Zo wil ik het ook. Moet je kijken hoe hij beweegt. Zo makkelijk.'
Het was zo.
'Snelheid en acties maken, dat is het mooiste wat er is,' zei Johnny. 'Moet je kijken. Hij danst meer dan hij loopt, zie je dat? Machtig, jongen.'
'Hallo,' zei Harry, 'we zitten hier niet op ballet, hè. Dat zijn wel kerels hoor, daar op het veld, en geen mietjes.'
'Behalve die van Hellas dan,' zei Remco. Er werd gelachen.
'Lullen jullie maar,' zei Johnny. 'Jullie hebben geen gevoel voor schoonheid.'
'Nee, pikkie, daar komen we ook niet voor. We willen bloed, zweet en tranen. Niks schoonheid,' zei Bert. Alles op een gemoedelijke toon, en niemand werd kwaad. Ik voelde me er prettig bij. Op zo'n manier met elkaar omgaan, dat kende ik niet. Dat wilde ik ook.
'Wat een vreselijk slechte scheidsrechter is dat, zeg,' zei op een rustig moment iemand op de rij voor ons. 'Wie is dat eigenlijk?'
Er kwam geen antwoord. De man was een jaar of dertig. Hij had zwart haar dat stijf stond van de gel en hij droeg een grote, zilverkleurige ring in zijn oor. Zijn ogen waren lichtgroen en hij had zich drie dagen niet geschoren. Naast hem stond een dikke, blonde man met een snor. Ze droegen allebei een Robur-sjaal. De blonde man zei niets terug. Hij keek strak naar het veld en bewoog nauwelijks.
'Het is ook al geen atleet,' zei de man met het zwarte haar. 'Helemaal niet zelfs. Kijk hem lopen, man.' Het zag er inderdaad niet uit. De scheidsrechter tilde zijn knieën hoog op als hij rende, zijn rug was gekromd en zijn hoofd bewoog met schokjes van voren naar achteren. De man met de oorring snoof. 'Het is net een lam paard met een slag in zijn wiel,' zei hij. 'En volgens mij heeft hij last

van zijn fluitje.' Er kwam geen antwoord. De blonde man reageerde niet. 'Man, man, mán!' zei de ander nog.
Johnny stootte me aan. 'Dat is Barend,' zei hij zacht. 'Láchen met die gast!'
De sfeer werd melig en de aandacht verplaatste zich van het veld naar het vak met Hellas-supporters. '*Dat zijn de homo's, ja, vast! De homo's van Hellas!*' werd er gezongen. Hellas joelde terug dat Robur dood moest, als ik het goed verstond. Het ging tegen elkaar op en het werd weer leuk.
Op het veld raakte Bob Colenbrander zijn directe tegenstander hard op zijn enkel. De spits van Hellas bleef met een van pijn vertrokken gezicht liggen en greep naar zijn been. De verzorger kwam op het veld. Het duurde nogal lang en de Hellas-speler kwam niet overeind.
'*Laat maar liggen, hij is dood! Hij is dood, hij is doo-óó-ood!*' zong Robur. De man met het zwarte haar schreeuwde boven alles uit. Zijn buurman stond met zijn handen in zijn zakken en zweeg. Ik keek om. Een eindje achter Petmans en Kaalmans zag ik opeens een bekend gezicht. Daar stond een van de meesters van de basisschool waar ik op had gezeten. Het was de meester van groep zeven. Tot mijn verbazing zong hij uit volle borst mee. Dat vond ik toch raar. Van een meester van school verwachtte ik dat niet, al wist ik niet waarom.
Twee minuten voor tijd werd de wedstrijd beslist. De linksachter van Hellas kreeg de geest en rukte met de bal aan de voet op tot aan de achterlijn van Robur. Hij zette voor en de bal kwam laag het doelgebied binnen. Drie verdedigers van Robur stonden elkaar in de weg en een van hen kreeg de bal verkeerd op zijn schoen. Kenneth Lewis, een Australiër. De bal vloog langs doelman Vincent van der Ploeg in de uiterste hoek van het doel en Hellas stond met 1-0 voor.
Een paar seconden was alleen het gejuich van de Hellas-supporters te horen. Toen barstte het gefluit los. Woedend was iedereen.
'Daar komt-ie helemaal voor uit Australië!' schreeuwde Barend. 'Die verrotte kangoeroe!' Het gejoel en het gefluit waren oorverdovend. De dikke blonde man naast Barend kwam ook tot leven: hij schudde zijn hoofd.

Er was te weinig tijd om nog iets aan de stand te doen en Robur verloor.

De verslagenheid op de tribune was groot. Alleen in het Hellas-vak, een paar meter van ons vandaan, werd gesprongen en gejuicht: '*O, wat zijn ze stil!*'
Niemand had zin om te reageren. Scheldend liep iedereen de trap af naar de uitgang.
'Laat ze,' zei Harry. 'Het zijn boeren. Ze degraderen toch... Jullie degraderen toch!' schreeuwde hij, maar ze hoorden hem niet.
We liepen door de gang onder de tribune naar buiten. Supporters kwamen uit alle uitgangen, maar de sfeer was heel wat minder dan vóór de wedstrijd. Een hoop gemopper om me heen. We liepen met ons groepje in de richting van onze fietsen. Ik raakte achterop toen ik om een groepje mannen heen moest. Ik ging iets sneller lopen om de anderen weer in te halen, toen ik op mijn schouder werd getikt. Ik draaide me om en keek in het gezicht van de dikke Hellas-supporter die aan de andere kant van het plexiglas had gestaan.
'Wie was hier een boer?' vroeg hij. 'Wie was hier een kloteboer?' Ze waren met zijn drieën. Voor de voorbijgangers zag het er niet uit of er iets aan de hand was. Ze stonden gewoon tegenover me. Ik was nog nooit door iemand zo aangekeken. Er was haat in zijn ogen. Hij kende me niet, ik had niets tegen hem gezegd. Ik had alleen maar in het vak gestaan van de tegenstander en ik zag de haat. Ik voelde angst in me omhoogkomen.
'Ik heb niks gezegd over boeren,' zei ik, terwijl ik keek in de richting waarin Johnny en de anderen gelopen waren. Ze waren nog niet ver. Ik keek de andere jongen weer aan. 'Maak je niet druk,' zei ik. 'Ik heb niks gezegd.'
'Ga jij mij zeggen of ik me druk moet maken?' zei de jongen. 'Dat maak ik zelf wel uit.' Hij deed een stapje naar voren. De andere twee deden dat ook en ik begon me steeds ongemakkelijker en hulpelozer te voelen. Ik was bijna veertien, en hoewel ik behoorlijk lang en sterk was voor mijn leeftijd, was ik in de minderheid. En niet zo zuinig ook.

'Johnny!' riep ik. 'Hé, Johnny!'
Gelukkig hoorde Johnny me. Hij keek om en zag direct wat er aan de hand was. Hij stootte Harry aan en in een mum van tijd waren ze bij me terug, met Remco, Bert en Dirk vlak achter zich aan.
Harry ging tegenover de dikke jongen staan, met zijn handen naast zijn lichaam. 'Wat doe jij?' vroeg hij. Meer niet. De jongen keek naar hem en naar de anderen. Je zág hem tellen: vijf tegen drie. En om hem heen hoofdzakelijk Robur-supporters, van wie sommigen de pas al inhielden. Hij zou de aftocht moeten blazen. Hij draaide zich om en liep weg, na mij nog even minachtend aangekeken te hebben. 'Een-nul,' zei hij over zijn schouder. Links en rechts van hem zijn lijfwachten.
'Degraderen!' riep Harry hem na. Ik voelde hoe mijn angst verdween, maar mijn adem zat nog hoog.
'Wat zei hij tegen je?' Johnny stootte me aan.
'Hij vroeg waarom ik had gezegd dat hij een boer was,' zei ik. 'Dat had ik helemaal niet gedaan.'
'Was je bang?' vroeg Harry met een lachje. 'Dat je Johnny erbij riep?'
'Bang niet,' zei ik flink. 'Maar ja, ze waren met zijn drieën en ik was alleen.' Ik begon opeens kwaad te worden. Ik had me laten insluiten door een stelletje Hellas-supporters, met die vieze rochelaar voorop. Ik was kwaad op mezelf. Ik had me nauwelijks verdedigd. Ik voelde me een slap jongetje. Lulletje rozenwater.
'Luister.' Harry legde zijn hand op mijn schouder. 'Kijk eens om je heen.' Ik deed wat hij zei en zag hem, Johnny, Remco en Bert. En overal mensen. Overal rood-wit.
'Je bent niet alleen,' zei Harry. 'Je hebt je familie bij je.' Ik lachte maar zo'n beetje.
'Nee, het is geen geintje.' Harry kneep licht in mijn schouder. 'Er hoeft echt niemand van een andere club jou te bedreigen. Wie dan ook. En zeker geen achterlijke Hellas-boer. Wie dat probeert, krijgt daar spijt van. Die bolle ook. Omdat je niet alleen bent, snap je?'
Ik keek hem aan. 'Ja,' zei ik. 'Ik snap het.' Ik werd warm vanbinnen. Hij had gelijk: ik was helemaal niet alleen geweest. Ik hoefde nergens bang voor te zijn. Ik hoorde erbij. 'Ik snap het,' zei ik nog een

keer. Op dat moment keek ik huizenhoog tegen Harry op. Alsof hij een hoge officier was in het leger.
'Mooi,' zei hij.
Opeens stonden de twee mannen bij hem met wie ik hem op de tribune had zien praten. Petmans en Kaalmans. 'Wat was dat?' vroeg Petmans.
'Gaan jullie maar vast,' zei Harry tegen Johnny.
Johnny aarzelde even, keek naar mij en toen weer naar Harry. 'Oké,' zei hij. En tegen mij: 'Kom, we gaan.' We liepen door in de richting van de fietsen. Ik keek nog een keer om. Harry en de twee mannen haastten zich de andere kant op, gevolgd door Remco, Bert en Dirk.
'Wat gaan ze doen?' vroeg ik. 'Gaan ze achter die gasten aan?' Ik wilde erachteraan. Mijn slappe optreden goedmaken.
'Ze gaan niks doen,' zei Johnny kortaf. Hij klonk kwaad. Misschien vond hij het niet prettig dat hij weggestuurd was. Maar Johnny was niet iemand die lang kwaad kon blijven. Toen we bij onze fietsen waren, klonk hij alweer wat vrolijker.
'Waarom koop je voor de volgende competitie geen seizoenkaart?' zei hij.
Dat leek me een goed idee.

Ik ging een stuk hardlopen toen ik thuiskwam. Ik keek wel eens naar atletiekwedstrijden op de televisie en zou ook wel atleet willen zijn. Topatleet, en nooit moe worden. Bij mij in de buurt was ruimte genoeg om een eind te lopen. Ik was het gaan proberen en vond het leuk. Ik mat de afstand niet en nam geen tijd op. Ik deed het gewoon voor het lekkere gevoel. Als het op school eens wat minder ging, als ik het thuis zat was, of gewoon als ik er zin in had. Onderweg fantaseerde ik hele wedstrijden bij elkaar, om me niet te vervelen. Ik won niet altijd, maar eindigde elke keer minstens bij de eerste tien.
Die dag was ik nog vol van de voetbalwedstrijd en ik moest mijn energie kwijt. Tijdens het lopen voelde ik me zo licht als een veertje. Ik liep een parcours langs de molens, net buiten de stad. Het ging geweldig en ik werd met groot gemak eerste. Toen ik weer thuis

kwam, was ik helemaal niet moe. Ik kon misschien niet voetballen, maar lopen kon ik wel.
'Lekker gesport?' vroeg mijn moeder toen ik de tuin inliep.
'Hartstikke goed,' zei ik.
'Waarom ga je niet wat meer sporten dan alleen maar in je eentje hardlopen?' Ze veegde het terrasje achter ons huis aan. 'Het lijkt me zo saai, zo alleen.'
'Juist lekker,' zei ik. 'Geen gezeur aan mijn hoofd, en ik mag zelf weten waar ik heen loop.'
'Was je nou naar dat voetballen?' vroeg ze. 'Dat was toch vanmiddag, of niet?'
'Ja,' zei ik. 'Het was leuk.'
'Maar daar wordt toch steeds gevochten?' Mijn moeder hoorde soms de klok luiden.
'Niks van gezien,' zei ik. 'Allemaal overdreven verhalen.'
'Nou,' zei ze, 'ik vind het maar niks.' Ik nam niet de moeite om haar uit te leggen wat ik meegemaakt had.
Die avond was bij het sportnieuws een korte mededeling dat er gevochten was tussen supporters van Robur en Hellas. Het ging om een kleine groep. Er was een auto van Hellas-supporters beschadigd. De politie was tussenbeide gekomen en had erger voorkomen. Er waren geen gewonden gevallen en er was één Robur-supporter aangehouden.
'Zie je nou wel?' zei mijn moeder. 'Altijd vechten.'
'Overal wordt wel eens gevochten,' zei ik oom Paul na. 'Ik heb er niets van gezien.' Mijn vader zei niets.
Ik dacht aan Harry en zijn vrienden. Ze waren dus achter die bolle aangegaan omdat hij mij bedreigd had. Niet omdat ik Marten Sandera was, maar omdat ik Robur-supporter was. Ik was onkwetsbaar. Ik had mee moeten gaan. In elk geval was Harry niet gearresteerd, want ik had hem aan het begin van de avond thuis zien komen. Ik zei er niets meer over. Ik had niet meegedaan. Ik wilde alleen maar dat ik erbij was geweest. Dat was heel iets anders.

‘Wandelstok.’

Ik was eind mei jarig en op mijn verlanglijstje stond: geld. Geld en anders niet.
‘Vind je dat nou leuk?’ vroeg mijn moeder. ‘Geld voor je verjaardag is zo saai.’
‘Ik ga sparen,’ zei ik. ‘Voor een seizoenkaart bij Robur. Na de vakantie begint het nieuwe seizoen.’
Ze keek me twijfelend aan. ‘Echt waar?’ vroeg ze. ‘Vind je dat niet zonde van je geld?’ Ik zei dat ik het niet zonde van mijn geld vond. En ik hoefde het niet van mijn spaarrekening te halen als ik genoeg kreeg. Daar had je nou verjaardagen voor.
Mijn vader nam het stokje over. ‘Je geld uitgeven aan dat stomme voetbal,’ zei hij. ‘Elke keer tussen dat tuig staan in het stadion, en als het seizoen voorbij is, heb je niks en is alles op. Een verstandig besluit, dat moet ik zeggen.’
‘Het is gewoon leuk,’ zei ik. ‘En dat tuig valt best mee. Dat zijn alleen maar verhalen.’
‘Ik lees daar anders andere dingen over in de krant,’ zei mijn vader. ‘Vechtpartijen aan de orde van de dag. En de scheidsrechter uitschelden natuurlijk. En bussen vernielen. Lekker stelletje.’
‘Niet bij Robur,’ zei ik.
‘Wél bij Robur. Dat was laatst toch op het nieuws? Je zag het toch?’
‘Dat was maar een klein groepje.’ Ik ging in de verdediging. ‘Er gebeurt haast nooit iets. Vraag maar aan oom Paul.’
‘Het is dat het mijn broer is,’ zei mijn vader. ‘Maar soms twijfel ik weleens aan zijn verstand. En niet alleen als het over voetballen gaat. Die is nooit volwassen geworden.’
‘Nou nou,’ zei mijn moeder vergoelijkend. ‘Dat is wel een beetje overdreven. Hij heeft toch een goede baan.’
‘Dat heeft er niets mee te maken.’ Mijn vader keek haar geïrriteerd

aan. 'Hij zou eens moeten trouwen en vader worden. Dat zou goed zijn voor zijn verantwoordelijkheidsgevoel.'
Ik keek naar hem, zoals hij daar zat in zijn stoel bij het raam. Een grote, donkerbruine leunstoel, die paste bij het enorme, eikenhouten wandmeubel. Mijn ouders hielden van groot en donkerbruin. Hij zat met de krant, zoals gewoonlijk. Deze keer met de weekendbijlage. Ik was bijna veertien jaar en vond dat het echt wel tijd was dat ik serieus genomen werd. Maar daar had mijn vader kennelijk moeite mee. Hij vond wat ik deed niet zo interessant, behalve mijn huiswerk dan. We praatten nooit ergens over. Niet over echt belangrijke dingen. En het leek wel of de afstand extra groot was geworden sinds de wandelstok bleef waar hij was: in de paraplubak.

Mijn vader had buien waarin hij erg driftig kon worden. Meestal was hij een rustige man, nogal in zichzelf gekeerd, maar in die driftbuien kon hij verschrikkelijk tekeergaan. Dan sloeg hij soms ook. Tot mijn twaalfde jaar – ik weet die laatste keer nog precies: het was op een zonnige zaterdagmiddag dat er een einde aan kwam – gebeurde het soms dat ik naar het halletje bij de voordeur moest om de wandelstok te halen, die daar in de paraplubak stond. Mijn vader stond dan bij de trap op me te wachten. Ik moest gebukt gaan staan boven de onderste traptreden en kreeg met de wandelstok op mijn blote billen. Hij sloeg hard, en soms moest mijn moeder hem tegenhouden. Boven me was het donkere trapgat. Ik probeerde elke keer omhoog te kruipen om aan de stok te ontkomen. Ik klauwde tegen de treden op, maar mijn vader trok me terug. Het was vernederend. Als hij klaar was, moest ik zonder eten naar bed. Daar lag ik in het donker, me voorzichtig steeds omdraaiend om geen last te hebben van de gloeiende pijn aan mijn billen en de onderkant van mijn rug. Na een tijd kwam mijn moeder me dan een paar boterhammen brengen. Of dat met medeweten van mijn vader was, wist ik niet.
Ik was een nakomertje. Mijn twee broers, Ruurd en Gert, waren een flink stuk ouder dan ik, en op mijn twaalfde was ik enig kind thuis. Mijn broers vertelden me dat zij ook wel op die manier geslagen waren, maar ik had niet de indruk dat ze daar veel last van hadden

gehad of nog hadden. Gert zei dat hij een keer zo hard geslagen was dat de wandelstok brak. Dat was ook de enige keer dat mijn moeder openlijk tegen mijn vader in opstand kwam. De wandelstok was van haar vader geweest. Maar daarna was er gewoon een nieuwe gekomen en er was nooit meer over gesproken.
Op die bewuste zonnige zaterdagmiddag was ik op straat naast het huis met een bal bezig. Ik probeerde hem hoog te houden, maar, zoals ik al zei, ik was niet goed in voetballen. De bal sprong alle kanten op, totdat hij in de tuin belandde. In de border, tussen de bloeiende planten. Die border was heilige grond. Mijn vader hield hem bij, meer nauwgezet dan liefdevol, en er zat aan de planten geen blaadje scheef. Onkruid kreeg geen schijn van kans en de aarde ertussen was altijd schoon en aangeharkt. Ook maar één voet erin zetten was vragen om problemen. Ik haalde een hark uit de schuur en probeerde zo voorzichtig mogelijk mijn bal naar me toe te halen. Hoe het precies gebeurde weet ik niet, maar ik gleed uit en struikelde. Ik stak mijn hand uit om mijn val te breken, maar ik had er niet aan gedacht dat ik de hark nog vasthad. De steel ging dwars door de ruit aan de zijkant van het huis. Mijn vader was op dat moment in de kamer. Hij sprong op en keek naar de aangerichte schade: de steel van de hark door de ruit, glasscherven in de kamer, de hark zelf in een bloeiende buddleia. En tussen de afrikaantjes, als levensgroot bewijs, mijn bal.
Binnen tien seconden was hij buiten. Hij greep me in mijn kraag en sleurde me mee naar binnen. Toen we in de keuken stonden, liet hij me los. Hijgend stond hij me aan te kijken. Met gestrekte arm wees hij in de richting van de gang en de hal.
'Wandelstok,' zei hij. Meer niet.
Ik keek hem aan. Het was een tijd geleden dat hij dat voor het laatst tegen me gezegd had. In zijn ogen zag ik de drift oplaaien. Mijn moeder stond in de deuropening. Ze zei niets. Ze wachtte alleen maar af.
Ik draaide me om en liep de gang in en langs het trapgat. Ik zag de versleten traploper op de treden. Ik zou snel naar boven kunnen gaan als mijn vader achter me stond. Voordat hij de eerste slag uit-

gedeeld had. Ik zou mijn kamerdeur kunnen barricaderen met een stoel. Ik opende de glazen deur naar de hal. De wandelstok stond in de paraplubak. Lichtbruin, geribbeld en met een gebogen handvat. Ik dacht niet na bij wat ik deed. Ik liep langs de bak, opende de voordeur en liep naar buiten. Niet naar het donker van het trapgat, maar de zon in. Het pad naar het trottoir was een meter of zes lang. Ik liep de tuin uit, stak de weg over die voor ons huis langsliep en liep door naar de grasberm aan de overkant. Toen ik op het fietspad was, hoorde ik de stem van mijn vader.

'Kom hier!' riep hij.

Ik keek om. Hij stond in de deuropening. Als hij naar me toe zou komen zou ik wegrennen. Ik pikte het niet meer. Hij zou me niet meer slaan met de stok die ik hem zelf aangereikt had. Het zou niet meer gebeuren. Ik liep weg over het fietspad.

'Kom hier!' riep hij nog een keer. Ik liep door. Achter me bleef het stil. Hij kwam niet achter me aan. Toen ik nog eens omkeek, was de voordeur dicht.

Het was een belangrijk moment. De rest van de dag zwierf ik maar wat rond, langs de dijk bij de rivier. Lag ik in het gras. Dacht ik na. Voelde ik me eenzaam. Ik had broers, maar ze waren er bijna nooit. Mijn ouders waren er bijna altijd, in elk geval een van de twee. Maar ze vonden het zo gewoon dat ik er was dat ze zich niet al te veel met me bezighielden. We praatten alleen maar over de gewone dagelijkse dingen.

Ik maakte me wel zorgen over wat er ging gebeuren als ik weer thuis zou komen. Mijn vader zou dit niet over zijn kant laten gaan. Toch moest ik terug.

Toen het al begon te schemeren ging ik weer naar huis. Ik zag mijn ouders in de kamer zitten. De televisie stond aan en ze letten niet op wat er buiten gebeurde. Geruisloos ging ik de keuken in, pakte een paar droge boterhammen uit de broodtrommel en een appel van de fruitschaal. Ik ging naar boven, naar mijn kamer. Ze hoorden me niet. Op mijn kamer deed ik de ramen van de dakkapel open, leunde met mijn ellebogen op de vensterbank en keek naar buiten. Het was bijna donker.

Natuurlijk moest ik wel weer een keer naar beneden, maar niet op dat moment. Ik wilde mijn vader nog niet onder ogen komen. Ik keek om me heen. Ik hees me op de vensterbank en zette mijn voet op de dakpannen. Voorzichtig werkte ik me om de dakkapel heen. Daarna kon ik er makkelijk bovenop klimmen.
De zinken dakbedekking voelde nog warm aan na een hele dag zon. Ik zat maar een paar meter hoger dan de vloer van mijn kamer, maar had het gevoel of ik in een hoge toren zat. Het was het tweede belangrijke moment van die dag, na de opstand tegen de straf van mijn vader. Ik had een plek voor mezelf gevonden, hoog boven alles uit. Nog meer van mezelf dan mijn eigen kamer. Ik kon de zwaartekracht te lijf. Ik keek naar de sterrenbeelden boven me. Ik was een sterrenliefhebber. Daar stonden ze: Grote Beer, Draak, Noorderkroon. Zo helder en dichtbij dat ik het gevoel had dat ik ze kon aanraken.
Wat ik verwacht had, gebeurde niet. Mijn vader kwam niet terug op wat er gebeurd was 's middags. Nooit meer. En de wandelstok heb ik nooit meer hoeven halen. Maar we waren zeker niet dichter bij elkaar gekomen. Als ik straf kreeg, bestond die meestal uit huisarrest. Maar, eerlijk gezegd, ook dat kwam minder voor. Toch was het er niet beter op geworden. Ik had dan wel gewonnen, maar voelde me daarna meer en vaker alleen dan daarvoor.

‘Ook lid van de joelclub?’

Ik schreef een brief aan al mijn ooms en tantes en aan mijn broers. Ze kwamen altijd trouw op mijn verjaardag, al weet ik niet of ze dat speciaal voor mij deden of omdat het nu eenmaal de gewoonte was. Ik vond het best. Het was een heel rijtje en zou waarschijnlijk aardig wat opleveren.

Beste ooms en tantes,

Ik heb besloten om voetbalsupporter van FC Robur te worden. Ik ben een paar keer naar een wedstrijd geweest en het leek me wel wat. Ik wil graag lid worden van die familie. Ik heb al een familie natuurlijk – gelukkig wel – maar dan heb ik er twee. Alleen, deze kost geld. Een seizoenkaart kost aardig wat, maar daar heb ik dan ongeveer twintig wedstrijden voor.
Ik zou u willen vragen het geld dat u anders voor een cadeau zou uitgeven, in een envelop te doen, en dat voor mijn verjaardag mee te nemen.
Ik zal u erg dankbaar zijn als het lukt en ik beloof plechtig om elke keer als ik naar een wedstrijd ga aan u allemaal te denken. Bij voorbaat dank.

Uw neef,
Marten Sandera

Ik was erg tevreden over de brief. Vooral die zin over twee families vond ik goed gevonden van mezelf. Het kostte me negen postzegels. Nu goed, dat geld zou er wel uitkomen, daar vertrouwde ik op. Ik vertelde mijn plan aan Johnny en die briefde het meteen door, merkte ik. Toen ik op een dag uit school kwam en de achtertuin in wilde gaan, hoorde ik achter me een fiets remmen. Het was Harry. ‘Wat hoor ik?’ zei hij. ‘Ga je een trouwe Robur-supporter worden? Is het je zó goed bevallen?’

Ik knikte. 'Ik vond het wel tof, leuker dan in het gezinsvak.'
'Natuurlijk,' zei Harry. 'Het gezinsvak is ook leuk, maar niet voor ons. Niet voor de grote kerels.'
Het was natuurlijk maar grootspraak en hij lachte erbij, maar toch voelde ik me groeien. En dat terwijl hij nauwelijks langer was dan ik. Ik was even groot als Dana, had ik gemerkt. Geen kleine jongen.
'Ik heb het geld nog niet, hoor,' zei ik. 'Op mijn verjaardag misschien.'
'Dat geld komt er,' zei Harry. 'En je hebt toch ook wat geld van jezelf?'
Dat had ik wel, maar daar kwam ik liever niet aan. Ik was aan het sparen voor een spelcomputer en kwam al in de buurt.
'Het zal best lukken,' zei ik. Ik vertelde van de brief die ik verstuurd had.
'Cool.' Harry lachte en dacht even na. 'Wanneer ben je jarig?'
'Over vier weken,' zei ik.
'Ga eens mee.' Hij liep met zijn fiets langs me heen en zette hem tegen de schuur in zijn tuin. 'Kom.' Ik liep achter hem aan. We zouden Dana tegen kunnen komen. Ik hoopte het, maar toch ook weer niet. Ik zou niet weten wat ik tegen haar moest zeggen. We gingen naar binnen, naar Harry's kamer. Ik keek om me heen. Zijn kamer was ruimer dan de mijne. Bij het raam stond een tafel met een computer erop. Er hingen elftalfoto's aan de muur. Ze waren allemaal van Robur.
'Van de laatste zeven jaar.' Harry zag me kijken.
'Ben je al die jaren elke keer geweest?' vroeg ik.
Hij schudde zijn hoofd. 'De laatste vijf jaar,' zei hij.
'Dus ook toen ze in de eerste divisie speelden?'
'Natuurlijk, toen ook. Vooral toen. Er waren veel minder supporters dan nu, maar we gingen toch. Elke keer weer, of het nou goed ging of niet. Toen vorig jaar bleek dat we konden promoveren, kwamen er opeens een heleboel toeschouwers bij. Die komen alleen maar als het goed gaat. Nepsupporters dus. Ja, jij niet hoor.' Hij gaf een stoot tegen mijn arm. 'Jij was nog te klein.'

'Mijn tijd begint nu,' zei ik.
'Zo is het.' Harry deed een kast open. 'Hier heb ik vast wat voor je verjaardag. Het ligt maar in de kast en ik heb een nieuwe.' Hij pakte er een zwart met oranje gevoerd jack uit en hield het voor me. 'Volgens mij past het.'
Ik wist niet wat ik moest zeggen. Sprakeloos keek ik hem aan.
'Trek eens aan,' zei hij. 'Kijken of het past.'
Hij gaf me het jack en ik trok het aan. Het paste zo ongeveer. De mouwen waren iets te lang, maar de manchetten waren elastisch. Ik trok ze op tot mijn ellebogen en keek in de spiegel die aan de muur hing. Links van de ritssluiting zat een clubembleem. Rood en wit, met kleine, gouden letters eronder: *Forza Robur*.
Robur-supporter. Er was op dat ogenblik niets wat ik liever wilde zijn.
'Perfect.' Harry knikte tevreden. 'Neem maar mee.'
'Meen je dat echt?' vroeg ik. 'Jeetje.'
'Anders gaf ik het je niet.' Harry hield de deur voor me open. 'Vanaf begin juni kun je seizoenkaarten bestellen. Wacht niet te lang, want volgend jaar kon het wel eens vol worden in ons vak. Tenzij je in een ander vak wilt, natuurlijk.'
'Echt niet,' zei ik. 'In de andere vakken gebeurt bijna niks.'
We gingen de trap af en liepen de keuken in. Bij het aanrecht stonden Harry's moeder en Dana. Harry's moeder had ik tot dan toe alleen maar vanuit de verte gezien.
'Kijk,' zei ze. 'Daar hebben we onze buurman. Hoe heet je, jongen?' Ze veegde haar handen af aan een handdoek die op het aanrecht lag.
Ik gaf haar een hand en stelde me voor.
'En ook voetbalsupporter, zie ik,' zei Dana met haar lage stem. 'Ook lid van de joelclub?'
Ik lachte maar zo'n beetje. 'Volgend seizoen,' zei ik.
'Leuk, hoor,' zei ze. 'Echt niveau, zal ik maar zeggen.'
'Niet praten over dingen waar je niks van weet,' zei Harry. 'Hou jij je maar met meidenzaken bezig.' Hij loodste me naar de deur.
'Ik dacht dat jij wel op stoer viel,' zei Harry's moeder tegen Dana.
'Ik ben gek op stoer,' zei Dana. Ze keek even naar me, alsof ze wilde zien hoe dat er bij mij uitzag. 'Maar dat vind je niet alleen bij het

voetballen, hoor.' Ze hield een glas onder de kraan, vulde het met water en dronk ervan.
'Dag, mevrouw,' zei ik tegen Harry's moeder. 'Tot ziens.' Echt een beleefde buurjongen.
'Dag, hoor,' zei ze. 'Kom nog eens langs.'
'Ja, kom nog eens langs,' zei Dana. 'Dan zul je merken dat er hier ook nog wel over andere dingen wordt gepraat dan over voetballen.' Ze keek me recht aan. Een klein lachje krulde haar mondhoeken. 'Belangrijke dingen, bedoel ik.' Toen stonden we buiten.
Harry deed de deur dicht. 'Luister niet naar haar. Ze is met afstand de grootste trut ter wereld.'
Ik was het niet met hem eens, maar dat zei ik niet. Ik keek naar de mouwen van mijn zwarte jack. 'Hartstikke bedankt,' zei ik. 'Echt tof.'
'Gauw je kaart bestellen,' zei Harry. 'Eerst geld inzamelen natuurlijk. Volgend jaar gaan we voor Europees voetbal.'
Ik liep de tuin uit. *Ik ben gek op stoer.* Zou ze mij stoer vinden? Ik maakte me breed terwijl ik onze eigen tuin inliep.

‘Kun je in de rij gaan staan.’

Dat seizoen ging ik niet meer naar het stadion. Ik kon niet bij Harry en Johnny op de tribune en alleen vond ik er niets aan. Op mijn verjaardag kreeg ik geld en slappe opmerkingen. Dat mijn woorden schat wel behoorlijk uitgebreid zou worden na de zomer. Dat ik een petje moest kopen dat vanbinnen met staal bekleed was. Dat soort dingen. Van één oom kreeg ik geen geld, maar een cd-bon. Hij zei dat hij tegen geweld was. Die bon heb ik op school met vijf euro’s korting verkocht. Alleen Gert en oom Paul vonden het leuk wat ik ging doen.

‘Ik ga ook een seizoenkaart bestellen,’ zei oom Paul. ‘Maar niet in dat vak van jullie. Op de hoofdtribune.’

‘Kunnen we mooi naar elkaar zwaaien,’ zei ik.

Mijn vader gaf geen commentaar meer. Als zijn broers of zussen ernaar vroegen, haalde hij zijn schouders op. ‘Het is zijn verjaardag en zijn geld,’ zei hij. ‘Hij moet het zelf weten, maar hij zal er wel spijt van krijgen. In elk geval bemoei ik me er niet meer mee.’ Ik had bij het ontbijt geld van hem gekregen, maar verder leek het feit dat ik veertien jaar was geworden aan hem voorbij te gaan.

Mijn moeder vond het allemaal niet leuk. ‘Helemaal niet gezellig,’ zei ze. ‘Geen cadeautjes. Je vond uitpakken altijd zo leuk.’ Alles bij elkaar had ik honderdachtendertig euro, twaalf euro te weinig. Dat moest dan maar van mijn spaargeld af.

Robur eindigde in de competitie van dat jaar op de elfde plaats, op een veilige afstand van de degradatieplaatsen. Op de eerste dag dat het kon, ging ik naar het stadion om een seizoenkaart te bestellen. Ik zat op een andere rij dan Johnny, maar hij zei dat dat niet uitmaakte. In hun vak zaten veel mensen niet op hun eigen plaats. Iedereen zat of stond door elkaar. Daar deed niemand moeilijk over.

Die zomer ging traag voorbij. De zon scheen veel en het was warm.

De ene lome dag volgde op de andere, vooral in de vakantie. Mijn ouders hadden iets ontzettend leuks bedacht: ze hadden een vakantiehuisje gehuurd op de Veluwe, bij Wezep. Echt niet te geloven zo leuk. Ik had een doos boeken meegenomen. Ik las veel en telde bomen. Ik ging wel hardlopen, elke dag, en verbeterde een paar Europese records. Dat was tenminste nog iets, maar ik was blij toen we weer naar huis gingen.

Tegen het eind van de vakantie kwam ik Dana tegen in het paadje achter ons huis.
'Zo, hooligan,' zei ze, met dat lachje van haar.
'Hallo,' zei ik en wilde doorlopen.
Ze ging voor me staan. 'Ga je dat echt doen?' vroeg ze. 'Elke keer naar het voetballen? Wat is daar leuk aan?'
'Het is spannend,' zei ik. 'En gezellig. En je steunt je club.' Het klonk nogal braaf.
'En je trapt rotzooi.' Ze had haar handen in haar zij gezet. 'Je zoekt mot met de tegenpartij.'
'Ik niet,' zei ik.
'Maar Harry wel, dat weet ik.'
Ik schudde mijn hoofd. 'Daar weet ik niks van.' In gedachten zag ik Harry met Kaalmans en Petmans heel doelgericht bij Johnny en mij vandaan lopen. Ik wist het wél.
'Waarom ga je zelf niet eens naar het stadion?' vroeg ik.
'Ja,' zei ze. 'Dat doe ik misschien nog wel eens een keer. Maar dan ga ik voor het voetballen.'
'Dat doe ik ook hoor,' zei ik.
'Dat ben je van plan tenminste.' Ze keek me aan. 'Maar je kunt zomaar in de rottigheid terechtkomen.'
'Ik niet.' Ik zei het zo stoer mogelijk. *Ik ben gek op stoer.*
'Het kan zomaar,' zei ze. 'En dat zou jammer zijn.'
'Hoezo?'
'Je lijkt me wel leuk. Het zou zonde zijn als je je liet bederven.'
De bliksem sloeg in en ik staarde haar aan. *Je lijkt me wel leuk.* Nog steeds dat licht spottende lachje om haar mondhoeken. Wilde ge-

dachten spookten door mijn hoofd. Ze vond me leuk. Dana, onbereikbaar tot dan toe. Ze had me gezien. Ze had over me nagedacht.
'Ik bederf niet zo gauw,' zei ik.
'Mooi zo.' Ze deed een stapje opzij, zodat ik erdoor kon. Toen ik langs haar liep, stak ze haar hand iets uit. Het leek of ze me wilde aanraken. Maar toen deed ze nog een stap opzij. 'Dag, hoor,' zei ze. 'Pas goed op jezelf.'
De rest van de dag zag ik haar gezicht voortdurend voor me en ik voelde de energie door mijn lijf stromen. Op een gegeven moment merkte ik dat ik liep te fluiten. Ik kón niet eens fluiten. Ik had steeds gedacht dat ik te jong voor haar was. Maar dat was onzin natuurlijk. Ze zat maar twee klassen hoger dan ik en we waren even groot. *Je lijkt me wel leuk*. Ik hoorde het haar weer zeggen.
'Ik bén ook leuk,' zei ik hardop. 'Heel erg leuk zelfs.'
'Fijn, jongen,' zei mijn moeder achter me. Ik had haar niet aan horen komen. 'Dan kun je mooi een boodschap voor me doen.'
Ik vertrok met een licht gevoel in mijn hoofd, fietste zwierig naar de supermarkt en reed door het rode licht. Ik was onkwetsbaar. Over een paar dagen ging ik naar drie havo, het voetbalseizoen brak bijna aan en Dana vond me leuk. Ik ging een zonnige toekomst tegemoet.
In de supermarkt kwam ik Harry tegen. Hij liep met een krat bier te sjouwen. Ik moest heel erg de neiging bedwingen om met hem over Dana te beginnen. Iets hield me tegen. Misschien vond hij het maar niets. Als ik Johnny zag, over een paar dagen op school, zou ik hem eens even versteld laten staan. Dana, het stuk van de school, vond me leuk! Ik lachte hardop terwijl ik achter mijn boodschappenkarretje tussen de wasmiddelen en de pindakaas door liep.
Het hardlopen kostte me die dag nauwelijks moeite. Ik werd in een recordtijd Nederlands kampioen op de vijf kilometer.

Die avond aan tafel zei mijn vader dat hij erover nagedacht had. Ik wist niet wat hij bedoelde, maar mijn moeder wel, want ze zei: 'Ga je het doen?'
'Ja,' zei mijn vader. 'Ik denk dat ik een goede kans maak.'

Ik keek van de een naar de ander. Dat was wel vaker zo. Dat het leek of ik er helemaal niet was. Dan praatten ze met elkaar over iets wat zij wel wisten en ik niet, zonder dat ze me uitlegden waar het over ging. Het ging over zijn werk, zo te horen. Mijn vader werkte bij een verzekeringsmaatschappij. Hij aasde al een tijd op promotie, maar tot dan toe wilde het niet lukken.

'Je vader gaat solliciteren.' Mijn moeder zag hoe ik van de een naar de ander keek.

'Ik word hier nog eens gek,' zei mijn vader. 'Ik wil hogerop en hier zitten ze me alleen maar dwars.' Heel apart, mijn vader die uit zichzelf over zijn werk vertelde.

'Hoezo dwars?' vroeg ik nieuwsgierig. Maar mijn vader vond dat hij genoeg uitgelegd had en ik zag mijn moeder bezorgd naar me kijken en met haar hoofd schudden. Iets wat ik niet mocht weten. Nou ja, dat was ik wel gewend.

'Waar gaan we dan naartoe?' vroeg ik, opeens geschrokken. 'Ver weg? Moeten we dan verhuizen?'

'Liever niet,' zei mijn vader. 'Er komt een plaats bij een filiaal aan de andere kant van de stad. Maar als het niet anders kan, ga ik misschien naar Groningen.'

Naar Groningen. Aan het andere eind van de wereld! Ik keek hem verschrikt aan.

'Heb ik daar niks over te zeggen?' vroeg ik. Zij gingen verhuizen en ik moest mee, of ik wilde of niet. Mijn vader keek me aan of ik iemand was die zomaar binnen was komen lopen.

'Nee,' zei hij. 'Zo werkt dat niet.'

'Wanneer?' vroeg ik.

'De eerste paar maanden zeker nog niet.' Mijn vader boog zich over zijn bord. 'Je kunt nog wel een paar keer naar dat voetballen van jou, maak je maar geen zorgen. Of dacht je daar niet aan?'

'Ik dacht aan school,' zei ik een beetje pesterig. Natuurlijk dacht ik aan Robur. Maar ook aan school. En aan Dana. 'Ik wil niet naar een andere school,' zei ik.

'Dat hoeft misschien ook helemaal niet,' zei mijn moeder sussend. 'Als je vader die baan in Parkwijk krijgt, verhuizen we niet.'

Ik zei niets meer. Niet naar Groningen alsjeblieft, dacht ik. Niet zo ver weg. Als ik daarvandaan naar Robur wilde, was ik uren onderweg. En ik had daar geen geld voor. Shit, shit, shit! Dat gebeurde allemaal maar, buiten mij om. En ik moest het maar pikken. Ik schudde mijn hoofd. Misschien ging het niet door en voorlopig bleven we nog waar we waren.

Een paar dagen later moesten we ons lesrooster ophalen. Ik fietste in mijn eentje naar school. Gewoontegetrouw had ik er geen zin in, maar dit jaar was het toch anders. Met het begin van het schooljaar kwam ook het begin van het voetbalseizoen dichterbij. De eerste thuiswedstrijd was zondag over een week.
En dan Dana. Vreemd genoeg had ik haar thuis bijna niet gezien. Ik had haar vanuit het raam van mijn kamer een paar keer door de tuin zien lopen. Maar ik waagde het niet haar te roepen. Laat staan naar haar toe te gaan. Ik was toch weer gaan twijfelen. Was dat wel echt zo, dat ze me leuk vond? Of was het spottend gezegd? In mijn dagdromen was het beweginkje naar mij toe een aanraking geworden. Maar in werkelijkheid had het nauwelijks iets voorgesteld. Ik had het me verbeeld natuurlijk. Ik had veel aan haar gedacht en hoopte vaak dat ik van haar zou dromen als ik in bed lag. Het was er nog niet van gekomen.
Het eerste wat opviel toen ik bij school kwam, was het grote aantal kleintjes. Een reden te meer om me groot te voelen. Ik schoof mijn fiets tussen een stel van dat grut door en deed mijn best er zo verveeld mogelijk uit te zien. Toen ik mijn fiets weggezet had, zocht ik Johnny. Ik zag hem in een hoek van het plein staan, midden in een groepje jongens. Ik liep ernaartoe en botste plotseling bijna tegen Dana op. Ze zag er niet uit of ze verrast was. Het leek wel of ze me aan had zien komen en expres voor me langs liep.
'Ik zie je bijna nooit meer,' zei ze.
Ik jou wel, wilde ik zeggen, maar ik lachte zo'n beetje en zei niets.
'Ben je wel eens thuis?' vroeg ze.
'Druk, hè,' zei ik. 'Erg druk.'
'O? Waarmee?'

'Tja,' zei ik. 'Van alles, hè.' Jemig, wat klonk dat stom.
'Van alles, ik snap het.' Weer dat lachje. 'Nou, wie weet, de komende tijd. Of hier op school. Dag.' Ze schudde haar haar naar achteren en liep door.
Ik voelde me een lompe sukkel. Ik keek haar nog even na en liep naar het groepje met Johnny toe.
'Toernooi geweest,' begroette hij me. 'In Frankrijk. Gewonnen.'
'Nou, gefeliciteerd.' Zijn voetbaljaar was natuurlijk al begonnen. 'In Frankrijk nog maar liefst.'
'Allemaal Franse clubs en nog twee Engelse. Aston Villa en Liverpool. Maar ja, geen kans tegen ons natuurlijk.' Hij glorieerde. De andere jongens van het groepje gaapten hem bewonderend aan. 'En gescoord hè, twee keer.'
Ik wilde iets zeggen over de eerste thuiswedstrijd van Robur. Laten merken aan de anderen dat ik Robur-supporter was. Seizoenkaarthouder! Maar het was tijd en we gingen naar binnen. Bij de deur was Dana er opeens weer.
'Ga je gang.' Ik deed een stapje opzij. Ze lachte stralend, ik kan geen ander woord verzinnen, en ging voor me uit de hal in.
Johnny stootte me aan. 'Wat is dat?' vroeg hij. 'Slijmen met de zus van Harry?'
'Niks slijmen,' zei ik. 'Ik ben beleefd, meer niet.'
'Lacht ze weleens vaker zo naar je?' Dana was de hoek omgegaan.
'Ja,' zei ik. 'Soms wel.'
'Kun je in de rij gaan staan,' zei Johnny.
Ik begreep niet wat hij bedoelde, maar hij liep door en begon met een andere jongen weer over zijn Franse avontuur. Ik zou hem er later nog weleens naar vragen. De lach van Dana bleef nog een tijdje om me heen hangen.

'Wat weet jij nou van vitaminen?'

De eerste thuiswedstrijd was tegen Rijnland. Robur had al uit gespeeld tegen FC Alexander en het was 2-2 geworden. Toen ik, met mijn Robur-jack aan, door de gang naar de deur liep, kwam mijn vader de trap af. Hij zag het opschrift op het jack.
'Wat is dat?' vroeg hij. 'Heb je nou ook al zo'n jack gekocht? Wat kost dat wel niet?'
'Gekregen,' zei ik. 'Van Harry.'
'Harry?'
'Van de buren. Hij gaat ook altijd.'
'Maar die is een paar jaar ouder dan jij. Je gaat toch hoop ik niet alleen maar met zo'n stel oudere jongens?'
'Nee, het zijn...' Ik schudde mijn hoofd. 'Nee,' zei ik. Ik had geen zin het uit te leggen en liep door.
'Als je in de problemen komt, red je je er zelf maar weer uit,' waarschuwde hij.
Ik zei: 'Ja,' en deed de buitendeur achter me dicht. Ik kreeg het er zo langzamerhand benauwd van. Altijd alleen maar waarschuwen, alleen maar de nadelen en eventuele gevaren van iets zien. Nou, ik zou zelf mijn plezier wel opzoeken. Ik had hem er niet bij nodig en zijn opmerkingen ook niet.
Toen ik mijn fiets de tuin uit duwde, stond Harry al op de stoep te wachten, zijn ellebogen op het stuur van zijn fiets.
'Eindelijk een echte supporter.' Hij grijnsde naar me. 'De strijd gaat beginnen.'
Ja, de strijd ging beginnen. Ik was verrast dat hij op me had gewacht en voelde me groeien.
Het ging net als de vorige keer. Ik fietste samen met Harry naar het huis van Johnny. Deze keer kwam Johnny al naar ons toe. Zijn moeder was niet te zien. Johnny en Harry reden naast elkaar voor

me uit. Maar deze keer voelde ik me niet buitengesloten. Ik wist dat ik erbij hoorde. Iedereen kon het zien. Het stond met duidelijke letters op mijn jack: *Forza Robur*. We fietsten op ons gemak naar het stadion. Het was mooi, zonnig weer en er waren veel mensen op straat. Wat ze allemaal gingen doen wist ik niet, maar ze zouden niet zo'n middag hebben als ik. Saaie leventjes. In de buurt van het stadion ging het verkeer steeds meer als één stroom dezelfde kant op. Dit waren bijna allemaal supporters. Er hing iets in de lucht, iets van spanning. Maar rustig, kalm. Voorpret zonder lawaai.

We zetten onze fietsen vast aan een hek, twee straten bij het stadion vandaan, en liepen het laatste stuk. Ik probeerde me zo breed mogelijk te maken en zwaaide mijn armen nonchalant langs mijn lichaam heen en weer. Vanzelfsprekend stoer zijn.

Ze waren er weer, Bert, Dirk en Remco. En Theo, van wie ik vorige keer de seizoenkaart mocht gebruiken. Hij was een lange, magere jongen, met een puisterig gezicht. Helemaal niet groot en breed, zoals Harry had gezegd. Ik zou erachter komen dat die grapjes er ook bij hoorden. Gewoon een beetje dollen, vrienden onder elkaar.

Rijnland speelde in het wit. Ze waren vorig seizoen gepromoveerd en hadden hun eerste wedstrijd met 3-0 verloren. Die zouden we wel even oprollen.

Ik keek om me heen en zag gezichten die ik van de vorige keer herkende. Barend was er, samen met zijn zwijgzame buurman. Achter me zag ik Kaalmans en Petmans. Johnny stond met zijn handen in zijn zakken naast me. Hij floot zachtjes voor zich uit.

'We zijn met vakantie naar Italië geweest,' zei hij. 'De enige Nederlandse jongen op de camping van mijn leeftijd was een supporter van ATOS. Een leuke gast, maar je kon nooit een keer lekker over Robur lullen of hij begon over zijn eigen club. Logisch natuurlijk, maar toch.'

'Maar je ging wel met hem om?' vroeg Harry.

'Ja, natuurlijk,' zei Johnny. 'Het was een leuke gast, dat zeg ik toch.'

'Maar een ATOS-supporter!' Harry keek naar Johnny alsof hij een

vies beest zag. 'En als je hem over een tijdje hier tegenkomt, wat zeg je dan tegen hem?'
'Dan zeg ik: hallo, hoe is het.' Johnny haalde zijn schouders op en keek naar het veld.
'Ben jij nou een Robur-man?' zei Harry misprijzend.
'Ik wel,' zei Johnny. 'Ik speel in de C1, weet je nog? En over een paar jaar staan jullie hier allemaal voor mij te juichen.'
Harry lachte. Hij kon niet boos worden op Johnny. Niemand kon dat. Ik keek naar hem, zoals hij daar stond. Hij was klein en je zou geen cent voor hem geven, maar ik wist wel beter. Bij gym was hij de beste. Hij was snel en veel sterker dan je zou denken. Hij was mijn vriend en daar was ik trots op.

Vanaf de aftrap was Robur veel sterker en Rijnland moest terug naar de eigen helft. Maar na een dik halfuur was er nog steeds niet gescoord. Om me heen begon het gemor.
'Gaan we dat krijgen. Geen scorend vermogen.'
'Ga nou eens voetballen, man!'
'Kalére, moet je nog betere kansen krijgen?'
'Mán, mán, mán!' Dat was Barend. 'Het wordt weer echt niks dit jaar, je zult het zien,' zei hij tegen zijn buurman, die zwijgend en kauwgom kauwend voor zich uit keek. 'Degradatievoetbal en nacompetitie. Lekker, met een dure seizoenkaart op zak.'
Maar vlak voor de rust was het raak. Seth Poolland, middenvelder. Van meer dan vijfentwintig meter. Een kaarsrechte streep en een geschroeid doelnet. La Cucaracha!
De tribune was een kolkende branding, en toen het weer wat rustiger was geworden, zei Barend dat ze dit jaar net zo makkelijk gingen meedoen voor Europees voetbal.
'Dat zijn ze! Dat zijn ze, man!' Johnny stompte tegen mijn arm. 'De mooiste die er bestaan. Hard, hard, hárd!'
Ik voelde me gloeien van enthousiasme. Het jack dat ik van Harry had gekregen was het mooiste kledingstuk dat ik ooit gedragen had, en opeens wilde ik dat Dana me kon zien.

Rijnland had na de rust niet veel méér te bieden dan ervoor en bij Robur was het ook op. Het bleef 1-0. Toch was iedereen tevreden. Op weg naar de uitgang van het vak was de stemming gemoedelijk.
'Het voetbal was naatje, maar de punten zijn binnen,' hoorde ik Barend achter me zeggen. Buiten het stadion keek ik om me heen.
'Geen Rijnland-suppporter te bekennen,' zei ik.
'Misschien op het parkeerterrein,' zei Bert. 'We kunnen wel even gaan kijken.'
'Ik ga naar huis,' zei Johnny. 'Daar doe ik niet aan mee, dat weet je.'
'We doen toch niks,' zei Harry. 'We gaan alleen kijken.'
'Ja ja, ik hoor het.' Johnny keek naar mij. 'Ik ga toch.' Hij wachtte even, maar ik bleef staan. Ik wilde niet de indruk wekken dat ik niet durfde. Ik wilde niet weer weglopen. Ik wilde erbij zijn.
'Ik zie je morgen wel,' zei ik. Hij schudde zijn hoofd zonder het echt te bewegen, draaide zich om en liep weg.
'Kom op,' zei Bert. 'Anders zijn ze weg.' We liepen om het stadion heen, net op tijd om te zien hoe een paar Rijnland-supporters in hun auto stapten. Er zaten stickers van hun club op de achterruit. Harry liep ernaartoe en sloeg met zijn vlakke hand op het dak van de auto.
'Goeie reis, hoor!' riep hij. 'Anderhalf uur de tijd om er weer bovenop te komen, mietjes!' Hij keek grijnzend door de achterruit naar binnen. Bert sloeg ook op het dak, en toen Theo. Ik stond ernaast, en voordat ik tijd had erover na te denken, deed ik het ook. Er waren veel Robur-supporters om ons heen en ik was veilig. Het portier zwaaide open en in een mum van tijd stond er een Rijnland-supporter voor ons.
'Wat moet dat?' vroeg hij. 'Zoek je mot?'
'Ik ben alleen maar vriendelijk,' zei Harry. 'Maar als je mot wilt...' Hij was heel beleefd en dat had de ander misschien niet verwacht. Hij aarzelde. Toen werd ik overmoedig en sloeg nog een keer op de auto. Ik zag Bert goedkeurend lachen. Het andere portier ging ook open. Er stapte nog iemand uit, een flink stukje breder dan de eerste.
'Blijf met je poten van die wagen,' zei hij dreigend. 'Wij komen niet om rotzooi te schoppen, maar als je wilt, kun je het krijgen.' Er

kwam nog iemand uit de auto. Ik deed een stap naar achteren. Het was maar een geintje geweest, hield ik mezelf voor. Maar nu dreigde het uit de hand te lopen.
'Ja, wat is dat?' Twee stewards die vanaf hun plaats bij het hek hadden gezien wat er gebeurde, kwamen aanlopen. Van de andere kant kwam een motoragent aanrijden. Hij had het kennelijk ook gezien.
'Jongens,' zei Harry met een onschuldig gezicht tegen de stewards, 'ik ben gewoon aardig. Ik wens ze alleen maar een goeie reis, niet dan?' Hij keek vragend om zich heen. De stewards grijnsden, maar ze bleven staan.
'Zo is het,' zei Bert. 'En dan worden die gasten meteen agressief.' Hij klopte nog eens vriendelijk en zacht op het dak van de auto. De Rijnland-supporter deed een stap naar hem toe, maar de agent was inmiddels ter plekke.
'Wegwezen,' zei hij kortaf. 'In die auto en weg.'
'Allemaal één pot nat,' zei de Rijnland-supporter. 'Allemaal dezelfde klootzakken hier.'
'Opgerot,' zei de agent. Hij zat nog steeds op zijn motor en gaf even gas.
Er zat niets anders op. De Rijnland-supporters stapten met tegenzin weer in en reden weg, met gierende banden. Een paar passerende voetgangers konden nog net op tijd wegspringen.
'En jullie ook,' zei de agent tegen ons. 'Wegwezen.'
'Natuurlijk, agent,' zei Harry beleefd. 'En nog welbedankt.' Lachend liepen we de hoek om. Ik was lid van de familie. En wat gaf dat nou, een beetje een tik op een autodak geven. Ik had niets beschadigd. Het was maar een geintje geweest.
'Altijd goed, even contact met de tegenpartij,' zei Harry toen we naar huis fietsten. 'Het schept een band, vind je niet?' Ik lachte en knikte. Ik zou het thuis niet vertellen, maar het was wel leuk.
'Morgenavond speelt het tweede thuis,' zei Harry. 'Ga jij ook?'
'Oké.' Als er iedere avond een wedstrijd zou zijn, ging ik iedere avond. In zo'n stemming was ik.
'Om zes uur ga ik weg,' zei Harry. 'Het begint om halfzeven.'
Zes uur was etenstijd, maar dat kon me niet schelen.

Toen ik thuiskwam, trok ik mijn hardloopspullen aan en ging op pad. De molens stonden roerloos in de late zon en reigers spiegelden zich in het water van de sloot. De marathon was in de laatste kilometers gekomen. Nu kwam het eropaan. Ik haalde zo rustig mogelijk adem en maakte mijn passen zo licht als ik kon. Nog drie man voor me. Ik kon ze zien en merkte dat ik dichterbij kwam. Ze hadden zichzelf overschat en begonnen het moeilijk te krijgen. De eerste van de drie haalde ik al voor de begraafplaats in. Hij keek even opzij en probeerde aan te haken. Maar hij had geen kracht meer. Nog twee. Misschien stond Dana aan de finish.
Ik verlengde mijn passen en merkte dat het me geen moeite kostte. De twee mannen voor me liepen bij elkaar. Een van hen keek om en ik zag dat hij versnelde. Maar dat duurde slechts even. Hij kon het niet meer opbrengen. Zienderogen liep ik in en in de laatste bocht voor de atletiekbaan had ik ze te pakken. Heel even bleef ik achter ze lopen, maar toen ging ik erlangs. Vloog ik erlangs, moet ik eigenlijk zeggen. Ik draaide de baan op en zag het finishdoek aan de andere kant. Nog één recht stuk en een bocht. Ik raakte nauwelijks de grond en werd gedragen door het applaus, zoals dat zo mooi heet. De bocht in en dan naar de finish. Ik stak een vuist in de lucht toen ik over de streep kwam. Uit de toeschouwers maakte zich iemand los die naar me toe rende. Het was Dana.

'Zes uur?' zei mijn moeder de volgende dag verbaasd. 'Maar dan eten we toch?'
'Ik eet wel als ik terug ben,' zei ik. 'Ik warm wel wat op. Of ik eet wat als ik bij het stadion ben.'
'Dat vind ik niet goed, hoor.' Mijn moeder keek me ongelukkig aan. 'Van die vette troep eten. Je bent gisteren nog naar het voetballen geweest.'
Ze begreep er niets van. Niet dat ik dat verwacht had, maar ik had geen zin elke keer uit te leggen wat het voetballen voor me betekende.
'Doe nou maar wat in een pannetje,' zei ik ongeduldig. 'Als je het deksel erop doet, kunnen de vitaminen er ook niet uit.'

'Wat weet jij nou van vitaminen?' Ze schudde haar hoofd en ging naar boven. Ik wist niets van vitaminen. Vitaminen interesseerden me niet.
Toen ik even voor zessen door de gang naar de keuken liep, verscheen mijn vader in de deuropening van de kamer.
'Waar ga jij naartoe?' vroeg hij.
'Naar het voetballen,' zei ik. Ik wilde doorlopen, maar hij pakte mijn arm vast.
'Huiswerk?'
'Ik heb voor morgen geen huiswerk.'
'Kan ik dat navragen?'
'Bij wie? Gelooft u me niet?' Ik keek hem aan.
'Dat voetballen wordt veel te belangrijk voor jou.' Hij beantwoordde mijn vraag niet, maar hield nog steeds mijn arm vast. Ik keek naar zijn hand.
'Wilt u me tegenhouden?' vroeg ik.
Heel even zag ik de drift in zijn ogen oplaaien, maar die verdween ook direct weer.
'Als je blijft zitten, haal ik je van school.' Hij liet mijn arm los. Zijn gezicht was weer uitdrukkingsloos.
'Het is pas het begin van het jaar,' zei ik. 'Ik ben nog maar net begonnen. En ik blijf niet zitten.' Ik liep door naar de achterdeur.
'Direct na de wedstrijd naar huis,' zei mijn vader. Ik gaf geen antwoord en liep naar buiten.
Ik had natuurlijk wel huiswerk, vier vakken zelfs. Ik had elke dag huiswerk. Als ik thuiskwam, zou ik die paar wiskundeopgaven snel even maken. De rest kwam morgen wel, tussen de lessen door. De cijferlijst was nog zo goed als leeg, dus ongelukjes konden makkelijk worden weggewerkt.
Bij wedstrijden van het tweede was het stadion zo goed als leeg. Er was geen sfeer en ik zat maar zo'n beetje op mijn stoel. Harry zat de hele tijd op gedempte toon met Petmans en Kaalmans te praten, die naast ons zaten. De anderen van het clubje waren er niet.
Robur won de wedstrijd met 1-0. Omdat een verdediger van DIO '56 de bal van een afstand van dertig meter op zijn keeper terugspeelde,

zonder dat van tevoren te zeggen. De bal rolde in de hoek van het doel. Voor de rest was het een dooie boel.
Na de wedstrijd fietste ik alleen naar huis. Harry ging met zijn vrienden nog ergens heen en het was duidelijk dat ik daarbij niet welkom was. Maar goed, we hadden gewonnen, het was lekker zwoel in het beginnende donker en ik voelde me goed.

'Nou, daar zitten we dan.'

Toen ik thuis de keuken inkwam en naar de gang liep, stond mijn vader er weer. Alsof hij daar al die tijd op me gewacht had.
'Je had wel huiswerk,' zei hij.
Even wist ik niet hoe ik moest reageren. 'Hoe kunt u dat weten?' vroeg ik toen.
'Ik heb gebeld.' Hij keek op een papiertje dat hij in zijn hand had. 'Naar Iris van Schotland.'
Het moest niet gekker worden. Opgebeld naar Iris van Schotland? Ze zat bij me in de klas, maar ik had weinig contact met haar en kende haar nauwelijks.
'Ik begrijp het niet,' zei ik. 'Hoe komt u aan haar telefoonnummer?'
'Van je klassenlijst,' zei hij. 'Uit je agenda. Ik heb haar gevraagd wat voor huiswerk jullie hadden.'
Ik was met stomheid geslagen.
'Dus u gaat spioneren bij Iris of ik huiswerk heb,' zei ik. Er klonk een lichte trilling in mijn stem en ik voelde me kwaad worden. 'Dat vind ik stom. Echt behoorlijk stom.'
Ik zag de klap niet aankomen. Zijn hand kletste tegen mijn wang met een fel geluid dat weerkaatste tegen de muur. Opeens weer die drift in zijn ogen.
'Als jij de zaak gaat belazeren,' zei mijn vader, zich met moeite beheersend, 'kun je die voetbalkaart bij mij inleveren. Dan is het afgelopen met dat voetbalgedoe, begrepen?'
Ik keek hem zwijgend aan en klemde mijn kiezen op elkaar. Ik wilde terugslaan, maar dat zou ik nooit durven. Dat wist ik. En iets anders was er niet. Ik knikte. Ik had het begrepen. Ik was het er niet mee eens en haatte hem. Maar ik had het begrepen.
'Nu naar je kamer en er niet meer vandaan. Je maakt je huiswerk en je komt niet meer beneden. En de rest van de week huisarrest.' Hij

stak het papiertje met het telefoonnummer van Iris in zijn zak en deed een stap opzij. Zonder hem aan te kijken liep ik langs hem heen en ik ging naar boven. Zijn handen hingen langs zijn lichaam. De handen van mijn vader.

Ik had de neiging om de deur van mijn kamer achter me dicht te smijten, maar ik sloot hem onhoorbaar en toch nadrukkelijk. Ik ging op mijn rug op bed liggen en keek naar de poster van Londen die aan de muur hing. Was ik daar maar, alleen voor mijn part. In mijn eentje ronddwalen in een vreemde stad. De weg niet weten, maar toch gaan en staan waar ik wilde. Ver weg van de bemoeizucht van wie dan ook. Ik voelde me machteloos. Ik was behandeld als een klein kind maar kon niets terugdoen. En verder was er niemand om te slaan. Onhoorbaar schold ik mijn vader uit. Klootzak! Dé manier om je eigen kind op school voor paal te zetten: opbellen naar een klasgenoot om naar het huiswerk te vragen. En die achterlijke Iris had het hem nog verteld ook. Hij had me geslagen.

Ik voelde me opgesloten. Door mijn vader, door school en door de muren van mijn kamer. Ik deed mijn raam open, klom op de vensterbank en werkte me over de dakpannen om de dakkapel heen. Ondanks het feit dat het al behoorlijk donker was, ging dat in één ononderbroken beweging. Oefening baart kunst. Het platte dakje was tenminste van mezelf.

In kleermakerszit zat ik daar en ik keek naar de sterren die tevoorschijn waren gekomen. Mijn wang gloeide nog na van de klap. Ik haalde diep adem en voelde me vanbinnen langzaam rustig worden. Beneden me in de straat reed een auto. De lichtbundels van de koplampen raakten de bomen op het trottoir. Ik was het middelpunt van het heelal en alles draaide om mij. Mijn vader was beneden me, ver weg. Er passeerde nog een auto en een fiets reed voorbij. Maar dat was allemaal in een andere wereld en het ging me niet aan. Het enige wat ik deed, was ademhalen. Regelmatig en vanzelfsprekend. Langzaam droomde ik weg.

'Zit je lekker?' De stem kwam van links en ik keek. Een hoofd was tevoorschijn gekomen uit de dakkapel van de buren. Het was Dana.

Ik voelde me nogal onnozel, daarboven op dat platte dakje. Aarze-

lend stak ik mijn hand op en zei: 'Hoi.' Echt een flitsende opmerking.
'Hoe kom je daar?' vroeg Dana.
'Gewoon het hoekje om,' zei ik.
'Wacht.' Haar hoofd verdween. Ik keek naar haar raam en wachtte. Ik had een onwezenlijk gevoel en mijn adem zat opeens hoog. Na een paar seconden kwam ze weer tevoorschijn en ze klom op de vensterbank. Voorzichtig zette ze haar voeten op de dakpannen.
'Wel goed vasthouden,' zei ik.
'Een heel goed advies,' zei ze. Hand over hand werkte ze zich langs de hoek van de dakkapel omhoog en even later zat ze op haar eigen dakje. Ze keek om zich heen.
'Nou, daar zitten we dan,' zei ze, en ik zei: 'Ja.'
'Zit je daar vaak?' vroeg ze.
'Soms,' zei ik. 'Als ik alleen wil zijn.' Ik wilde opeens helemaal niet alleen zijn. Maar het was er al uit.
'Zal ik maar weer gaan dan?' Ze wilde opstaan.
'Nee, nee,' zei ik haastig. 'Hoeft helemaal niet.'
Ze ging weer zitten. Ze zoog op haar tanden en we keken elkaar aan. Ik voelde hoe de warmte zich door mijn lijf verspreidde.
'Wat denk je?' zei ze na een tijdje. 'Zou dat dakje sterk genoeg zijn voor twee?'
Ik voelde met mijn handen naast me, alsof ik dat op die manier kon vaststellen.
'Vast wel.' Ze wachtte mijn antwoord niet af. 'Wat doen we, jouw dakje of het mijne?'
'Ik eh...' Ik kom wel naar jou toe, wilde ik zeggen, maar ik had even problemen met spreken. Het was de manier waarop ze lachte. Niet hardop, maar alleen met haar ogen. Het was niet eens zo goed meer te zien, maar ik voelde het.
'Ik kom eraan,' zei ze. Zittend schoof ze van haar plek over de dakpannen naar me toe. Ik ging iets opzij en ze ging naast me zitten.
'Past net,' zei ze. Ze keek om zich heen. 'Tof plekje. Dat ik daar zelf niet op gekomen ben.'
Het was nu stil op straat en zo goed als donker. Maar het was niet

koud. Dana schoof een fractie op en ik voelde haar arm tegen de mijne. Ik verstijfde en ze lachte zacht.
'Rustig maar, hoor,' zei ze. 'Er gebeurt niets ergs.' Ik durfde nauwelijks adem te halen.
'Was je naar het stadion vanavond?' vroeg ze.
Ik knikte. 'Een wedstrijd van het tweede,' zei ik.
'Was het leuk?'
'Ging wel.'
'Wie waren er nog meer, behalve Harry en jij?'
'Weet ik veel,' zei ik verbaasd. 'Een paar honderd mensen.'
'Dat bedoel ik niet,' zei ze geduldig. 'Ik bedoel die vrienden van Harry.'
'Alleen twee mannen die ik niet ken,' zei ik.
'Die twee dikken zeker. En de ene is kaal.'
'Ja, die,' zei ik.
'Lekker stelletje is dat. Daar zou ik maar mee uitkijken.'
'Ik ken ze niet,' zei ik verdedigend. 'Ik heb verder niets met ze te maken. Ze waren er gewoon.' Nog maar niet vertellen van die auto van gisteren.
'Nou ja, ik zeg het maar,' zei ze. 'Heb je een vriendinnetje?'
'Huh?' Dat was snel. Ik moet er erg dom uitgezien hebben. 'Hoezo?'
'Gewoon een vraag. Heb je wel eens gezoend?'
'Jawel.' Ik slikte. 'Een paar keer.'
'Ik bedoel niet een kusje hier of daar. Ik bedoel echt zoenen, je weet wel.'
Ik wist niet of ik het wist. Ik keek naar de straat beneden me. Toen draaide ik mijn hoofd naar haar toe. Ik moest iets terugzeggen.
Maar haar gezicht was vlak bij het mijne. Ze legde haar hand in mijn nek en trok mijn hoofd naar zich toe.
Het was waar: wat ik tot dan toe had meegemaakt waren een paar kusjes met spitse, harde lippen in het fietsenhok na een schoolfeest. Carlien van Rheenen, en ze was er net zo van geschrokken als ik. Maar Dana's lippen waren warm en zacht en ze bleven bij me, ook toen ik mijn hoofd voorzichtig wilde terugtrekken.
'Niet zo snel,' mompelde ze. Ik had mijn ogen dicht en weet niet

meer wat ik dacht. Of ja, ik weet het wel: ik dacht helemaal niets. Ik voelde alleen hoe de warmte door mijn lichaam trok, naar mijn buik toe.

Ze stopte en keek me aan. 'Nog eentje?'

Ik zei niets, knikte alleen maar. Ik rook haar haar en voelde voor de tweede keer haar lippen. Ze streek met haar hand over mijn wang, over de plek waar mijn vader me geraakt had. Nu moest ik iets terugdoen. Het ging vanzelf. Ik deed mijn ogen open en zag hoe haar haar in de avondwind half voor haar gezicht waalde. Dat beeld zie ik nog steeds voor me: haar ogen zo dichtbij, haar haar voor haar gezicht, en de stad op de achtergrond.

Ik voelde opeens hoe haar tong snel over mijn lippen streek. 'Doe je mond open,' fluisterde ze en plotseling was haar tong in mijn mond. Ik schrok me kapot.

Ze stopte, zuchtte eens diep en keek me weer aan. Ze lachte. 'Eerste les,' zei ze. 'Wil je nog meer leren?'

Ik weet niet meer hoe ik het eruit kreeg, maar ik zei: 'Ja. Nu?'

'Nu niet.' Ze kwam overeind. 'Ik moet gaan. Dag, Marten.' Ze stond op en kroop over de dakpannen naar haar eigen raam. Ik zag haar in het donker naar binnen klimmen. Toen kwam haar hoofd nog even tevoorschijn. Ik meende te zien hoe ze zwaaide. Ze was weg.

Ik hoorde nog steeds hoe ze mijn naam zei, en het duurde heel lang voor ik mijn kamer binnenklom.

‘Met wie moet je dan oefenen met zoenen?’

De volgende morgen fietste ik de straat uit en ik wachtte om de hoek, zodat mijn moeder me niet meer kon zien. Ik wist niet hoe laat Dana naar school zou gaan, maar ik waagde het erop. Als ze me zoende op het dak, zou ze het ook wel goedvinden als ik met haar naar school fietste.
Mijn vader had ik niet meer gezien. Hij was al naar zijn werk. Van mijn huiswerk was de vorige avond niets terechtgekomen, maar het interesseerde me geen bal. Ik zou met Dana naar school fietsen en als we daar aankwamen verrast en jaloers nagekeken worden. Dát waren de dingen die van belang waren.
Ze kwam niet. Misschien was ze al weg of had ze het eerste uur vrij. Ik wachtte zo lang mogelijk en racete naar school, om daar op het laatste nippertje aan te komen. Zwetend liet ik me op mijn stoel naast Johnny neervallen. De lerares Engels stond op de gang met iemand te praten. Ik schoof mijn stoel vlak naast die van Johnny, zodat ik zachtjes kon praten.
‘We hebben gezoend,’ zei ik ademloos.
Ik had onderweg naar school besloten om het aan Johnny te vertellen. Niet alleen omdat hij mijn vriend was. Ik moest het kwijt. En ik wilde de bewondering zien in zijn ogen.
‘Wie?’ vroeg Johnny geïnteresseerd.
‘Wij,’ zei ik. ‘Dana en ik.’
‘Harry zijn zus? Echt?’ Ik knikte. Had iemand anders het gehoord? Ik keek om me heen.
‘En nu?’ Johnny keek me nieuwsgierig aan.
‘Ja,’ zei ik nonchalant. ‘Verkering, hè. Denk ik.’
Hij schudde zijn hoofd. ‘Geloof ik niks van.’
‘Jawel, man. Gisteravond.’ Op het dak, wilde ik zeggen, maar dat hield ik voor mezelf.

'Nee, dat bedoel ik niet,' zei hij. 'Dat van die verkering, vergeet dat maar.'
'Wat klets je nou?' Ik begreep er niets van.
'Jij hebt je ogen in je zak zitten,' zei Johnny. 'Die Dana van jou barst van de vriendjes. Die papt met iedereen aan. Een jongensgek is het.'
Ik wilde protesteren, maar de lerares was uitgepraat en de les begon. Ik keek Johnny nog even aan en wees met mijn vinger naar mijn voorhoofd. Hij haalde zijn schouders op.
De hele les spookte door mijn hoofd wat Johnny tegen me gezegd had. Ik keek zo nu en dan opzij, maar hij concentreerde zich op de les. Zo zag het er tenminste uit. In tegenstelling tot mij waarschijnlijk. Als ik mijn ogen sloot, zag ik het gezicht van Dana weer voor me. Haar ogen. Ik voelde haar lippen en glimlachte.
'Marten?' De lerares Engels. 'Dreams?'
'Yes,' zei ik automatisch. Iedereen keek geïnteresseerd naar me.
'I can see that.' Ze keek me aan op zo'n manier dat ik bijna zeker wist dat ze begreep wat voor soort droom dat dan wel was. 'Please pay attention,' zei ze. Ik knikte en keek weer opzij naar Johnny. Hij schudde zijn wijze hoofd.
Later op de dag vroeg ik hem er nog een keer naar, maar hij wimpelde het af. 'Ik zeg alleen maar wat ik gehoord heb,' zei hij. 'En gezien, soms. Verder moet je het zelf maar bekijken. Misschien heb ik het wel mis.'
'Misschien ben je wel jaloers,' zei ik kwaad. 'Je kunt het gewoon niet hebben.'
'Ja. En misschien kan die hele zus van Harry me wel geen bal schelen.' Hij lachte zorgeloos. 'Ik waarschuw alleen maar.'
Johnny was niet kwaad te krijgen. Dat was hij haast nooit. Mijn eigen boosheid zakte ook snel. Hij had het mis natuurlijk. Hij had niet meegemaakt wat ik meegemaakt had. En wat hij zei, had hij alleen maar van horen zeggen.

Op school lukte het me niet om Dana te spreken te krijgen zonder dat er verder iemand in de buurt was. In de pauze zag ik haar op het plein met een paar vriendinnen. Geen jongen in de buurt. Maar naar haar toe gaan, met die andere meiden erbij, deed ik toch maar niet. Ik liep een paar keer zo dicht mogelijk langs het groepje, maar ze zag me niet. Ik hoorde haar lachen en besloot om de opmerkingen van Johnny voorgoed uit mijn hoofd te zetten. Het lukte me niet, de hele verdere schooldag niet. Op weg naar huis zag ik haar voor me uit fietsen. Alleen. Ik ging op de trappers staan en sprintte achter haar aan. Toen ik naast haar reed, was ik buiten adem. Ze keek opzij.

'Hallo,' kon ik er met moeite uitbrengen.

'Hé,' zei ze. 'Ouwe dakhaas.'

Ik lachte en probeerde mijn adem weer onder controle te krijgen. Zo fietsten we een eindje door en ik probeerde koortsachtig te bedenken wat ik tegen haar kon zeggen.

'Gaat het goed op school?' vroeg ik. Achterlijk, achterlijk stom! Jemig, ik leek mijn vader wel! *Gaat het goed op school?*

Maar ze zei, heel gewoon: 'Ja, hoor. Een leuke klas, leuke vriendinnen.'

En leuke vrienden ook natuurlijk, wilde ik eigenlijk zeggen. De opmerking van Johnny stak opeens de kop weer op. 'Ik ook,' zei ik.

'Ook leuke vriendinnen?'

'Nee', zei ik haastig. 'Heb ik niet. Helemaal niet zelfs.'

'Ach,' zei ze, 'met wie moet je dan oefenen met zoenen?'

'Met jou,' zei ik. Het was eruit voor ik er erg in had.

Ze gooide haar hoofd in haar nek en lachte. Ik keek naar haar en wist niet of ze me nou uitlachte of dat ze het gewoon leuk vond. Ik veegde een voor een mijn handen af aan mijn broek. We waren inmiddels bijna thuis. Aan het begin van het paadje stonden we stil.

'Misschien,' zei ze. 'Als het je zo goed bevallen is.'

Ik knikte ademloos en keek haar aan. Ik stapte haar ogen binnen en zonk weg in iets wat ik nog nooit meegemaakt had. Ik haalde diep adem en liet me vollopen. En ze keek alleen maar terug. En ze lachte.

'Maar we spreken niks af,' zei ze. 'Het moet wel een verrassing blijven.' Toen liep ze langs me heen en ze verdween met haar fiets hun tuin in, zonder nog een keer om te kijken.

Ik was weer terug in de gewone dagelijkse wereld, al had ik het gevoel dat die nooit meer hetzelfde zou zijn. Met een licht gevoel in mijn hoofd zette ik mijn fiets weg en ging naar binnen. Mijn moeder stond in de keuken.

'Dag, Marten,' zei ze. 'Gert is er.'

Mijn broer Gert was eenentwintig jaar en studeerde medicijnen in de hoofdstad. Hij was daar op kamers en kwam niet vaak thuis. Mijn andere broer, Ruurd, was twee jaar ouder dan hij. Hij woonde samen met zijn vriendin in een dorp vlak bij de Duitse grens. Hem zag ik bijna helemaal nooit.

Ik ging de kamer in. Gert stond met zijn handen in zijn zakken uit het raam te kijken. Toen hij me hoorde, keerde hij zich om.

'Zo, broertje,' zei hij. 'Hoe staat het leven?'

Ik vond het niet echt leuk om broertje genoemd te worden, maar van hem kon ik het wel hebben. De weinige keren dat ik hem zag, kon ik goed met hem praten. Dan vertelde hij over zijn studie en hoe het was om het huis uit te zijn. Het waren leuke verhalen en ik zou blij zijn als ík zover was.

'Het leven staat goed,' zei ik. Dat was ook zo. Het leven stónd goed. Heel goed zelfs. 'Ik heb verkering,' zei ik. 'Dat denk ik wel tenminste.'

'Dat dénk ik wel?' Hij lachte. 'Zoiets moet je zeker weten. Dat is het leukste.'

'Ik weet het bijna zeker. Het is nog maar net aan.' Ik was trots en wilde dat ik haar kon laten zien, of tenminste een foto van haar. Ik wilde de bewondering in zijn ogen zien als hij zag hoe mooi ze was. 'Ze woont hiernaast.'

'Ah, de nieuwe buren.' Hij keek naar buiten, maar er was niemand te zien.

'Niks tegen vader en moeder zeggen,' zei ik. 'Ze hoeven het nog niet te weten.'

'Ik zwijg als het graf,' zei Gert. 'Nou, dan zal ik ook maar geen broertje tegen je zeggen.'

'Een goed plan,' zei ik. We lachten.

'En hoe gaat het met Robur?'

'Ook goed.'

‘Geen spijt van je seizoenkaart?’
‘Nergens spijt van.’
‘En wat zegt pa ervan?’
Dat was nou jammer. Er viel even een schaduw over mijn vrolijke gevoel. Mijn vader, huiswerk en huisarrest.
‘Hij zegt er bijna niks van,’ zei ik. ‘Hij vindt het stom en zeurt alleen maar over mijn huiswerk.’
‘Hm.’ Gert keek me onderzoekend aan. ‘Je hebt huisarrest, hoorde ik.’
‘Ja, een week.’ Ik voelde me weer kwaad worden. ‘Hij heeft opgebeld naar iemand uit mijn klas, om te vragen of ik huiswerk had toen ik naar het stadion was. Een klotestreek. Ik sta voor paal op school. Wie doet er nou zoiets?’
‘Hebben jullie ruzie gehad?’
‘Ruzie? Geen schijn van kans,’ zei ik. ‘Hij zei alleen maar wat hij gedaan had en wat de straf was. Hij heeft me geslagen.’
‘Met de wandelstok?’
‘Nee, dat doet hij niet meer. Niet sinds ik weggelopen ben.’
‘Weet je,’ zei Gert, ‘dat je weggelopen bent toen, dat was heel dapper.’
Ik keek uit het raam. Ik had het indertijd wel aan Gert verteld, maar hij had niet echt gereageerd en we hadden het er nooit meer over gehad.
‘Och,’ zei ik, ‘dapper...’
‘Ik heb het nooit gedurfd,’ zei Gert. ‘Had ik het ook maar gedaan.’
‘En Ruurd?’
‘Ook niet.’
‘Heb jij weleens met hem gepraat?’ vroeg ik. ‘Ik bedoel echt. Over iets belangrijks. Over jezelf bijvoorbeeld.’ Hij dacht lang na.
‘Laat maar zitten,’ zei ik. ‘Als je er zo lang over na moet denken, zal het wel niet.’ Buiten sloeg een autoportier dicht. Mijn vader kwam thuis. Ik zag hoe hij zijn tas uit de auto haalde en naar de voordeur liep.
‘Ik ga maar eens naar boven,’ zei ik. ‘Huiswerk maken.’ Ik liep naar de deur.
‘Marten,’ zei Gert. Ik keerde me om.

'Dat hij je sloeg, óns bedoel ik, dat deed hij niet omdat hij ons haatte, of zo. Daar geloof ik niks van.'
'Waarom deed hij het dan?' vroeg ik.
'Kinderen krijgen wel eens meer een pak slaag.'
'Ja,' zei ik. 'Maar waarom op die manier?'
'Ik weet het niet precies.' Gert haalde heel even zijn schouders op. 'Misschien dacht hij dat het een goede manier van opvoeden was.'
Ik lachte schamper. 'Helemaal fout gedacht,' zei ik. Ik haastte me de trap op voordat mijn vader naar binnen kwam.

Die week besteedde ik veel aandacht aan mijn huiswerk. Ik had er tijd genoeg voor, want ik kwam de deur niet uit, behalve om naar school te gaan. Gelukkig was het huisarrest aan het eind van de week afgelopen. Ik kon dus naar Robur. Het was de tweede achtereenvolgende thuiswedstrijd. Tegen Hellas, dat het vorige seizoen op het nippertje niet gedegradeerd was. Ik was benieuwd of ik die dikke nog zou zien.
Die donderdag kwam Dana naar me toe op het schoolplein. Ik zat met Johnny op een muurtje. Ze kwam naast me zitten of het de gewoonste zaak van de wereld was. Mijn gezicht begon te gloeien.
'Hé, hoi,' zei ik, zo gewoon mogelijk.
Ze zei: 'Dag,' en keek langs me heen. 'Ik zie jullie vaak samen. Vrienden?'
Ze had op me gelet, ze had naar me gekeken, ook toen ik het niet in de gaten had! Johnny kon het heen en weer krijgen met zijn verhalen.
'Dit is Johnny,' zei ik, iets achteroverleunend. Hij grijnsde even naar haar.
'Waar hadden jullie het over?' vroeg ze.
'Over voetballen natuurlijk,' zei Johnny.
'O, díé Johnny,' zei ze. 'Harry heeft het wel eens over je.' Johnny zei niets terug.
'Soms probeer ik wel eens van Harry te weten te komen wat dat nou is. Dat speciale voetbalgevoel,' ging Dana onverstoorbaar verder. 'Maar meneer verwaardigt zich niet er met mij over te praten. Niks voor meiden, zegt hij.'

'Maar die staan er ook tussen, hoor,' zei ik. 'Op de tribune.'
'Zie, dat zei ik ook tegen hem. Maar hij vertelt me niks.'
'Je moet het zelf meemaken,' zei Johnny. 'Dat kun je niet uitleggen.'
'Dan kom ik het dus niet te weten,' zei ze. 'Jammer. Ik had Marten wel eens willen meemaken als voetbalsupporter.'
Ik kon er niets aan doen, maar ik kon het niet nalaten Johnny triomfantelijk aan te kijken. Naast me hoorde ik Dana lachen. 'Het geheim van de hooligan,' zei ze.
'Weet je wat?' zei Johnny toen opeens. 'Zondag ben ik ballenjongen. Alle spelers van de C1 komen aan de beurt, en nu ben ik. Dus ik heb mijn seizoenkaart niet nodig. Je mag hem wel lenen voor een keer.'
'Ballenjongen?' vroeg ik. 'Jij?'
'Dat zeg ik toch.' Johnny pakte zijn portemonnee uit zijn zak en haalde zijn seizoenkaart eruit. 'Hier.' Hij gaf hem aan Dana. 'Niet verliezen.'
'Dank je wel, je bent een engel.' Johnny knikte bevestigend. Ze bekeek het pasje even en stak het in haar zak. 'Hoe laat ga je weg?' vroeg ze aan mij.
'Halftwee,' zei ik. 'Maar eh... Harry?'
'Wat is er met Harry?'
'Nou, vindt hij het wel...'
'Ik zeg niks tegen Harry.' Ze knipte met haar vingers. 'Hij heeft niets over me te zeggen, al denkt hij van wel. Ik doe wat ik wil. Dat zal een lollige verrassing zijn, zondag.' Ze stond op. 'Nou, dan zie ik je wel om halftwee.' Ze bukte zich, gaf me een kus op mijn wang en zweefde weg.
Ik keek haar na. Mijn hand bewoog zich naar mijn wang, maar ik liet hem weer zakken. Toen keek ik Johnny aan.
'Wat zeg je daarvan?' zei ik.
'Ze heeft gelijk,' zei Johnny met een serieus gezicht. 'Natuurlijk heeft Harry niets over haar te zeggen.'
'Nee,' zei ik. 'Maar ze gaf...'
'Moet je luisteren.' Johnny boog zijn hoofd naar me toe. 'Ik zal er niet over doorzeuren, maar ze barst van de vriendjes. Misschien

heb je geluk en schuift ze de hele rij voor jou opzij. Maar ik geloof er niks van. Je moet het gewoon niet serieus nemen. Het is maar een spelletje.'
Ik keek hem aan. 'Heb jij eigenlijk wel een vriendinnetje?' vroeg ik. 'Wel eens gehad?'
'Daar heb ik geen tijd voor,' zei hij gewichtig. 'Ik ben bezig topsporter te worden, weet je nog?'
Ik lachte en keek naar Dana, die inmiddels aan de overkant van het plein was. Ze voegde zich bij een groepje van haar klas. Jongens en meisjes. Mijn wang gloeide.
Johnny stond op. 'Ik hoop dat het leuk wordt, zondag,' zei hij.

'Jóhnnie-ie-ie! Jóhnnie-ie-ie!'

En zo stond ik zondagmiddag om tien voor halftwee met mijn fiets te wachten bij de uitgang van onze tuin. Mijn vader was de heg aan het bijknippen en mijn moeder haalde dorre blaadjes uit de lathyrus.

'Wacht je op Harry?' vroeg ze. 'Je voetbalvriend?'

Ik schudde mijn hoofd. 'Ik ga met Dana naar het voetballen,' zei ik.

'Met Dana?' vroeg ze verbaasd. 'Gaat die naar het voetballen? Dat had ik toch echt niet van haar gedacht.' Voetballen was niets voor keurige buurmeisjes. Ik nam de moeite niet om daartegenin te gaan. Voor mijn moeder was het voetbalstadion gevuld met bloeddorstige asocialen, en ze was er nog steeds niet aan gewend dat haar jongste zoon daarbij hoorde. Mijn vader keek niet op of om.

Ik leunde op het stuur van mijn fiets, gespitst op het geluid van de achterdeur bij de buren. Ik vroeg me af wat ik tegen Harry moest zeggen. Misschien vond hij het helemaal niets dat Dana meeging. Maar ik hoefde me daar nog even geen zorgen over te maken, want Dana kwam alleen tevoorschijn met haar fiets. 'Daar gaan we dan,' zei ze.

'En Harry?' vroeg ik.

'Die is al weg. Hij ging eerst nog naar een paar vrienden.' Ze stapte op. 'Dag, mevrouw,' zei ze tegen mijn moeder, die stijfjes terugknikte.

Dat had Harry wel eens mogen zeggen. Voor hetzelfde geld had ik een hele tijd voor niets staan wachten. Maar ja, wat Harry betrof hing ik er waarschijnlijk toch nog steeds maar zo'n beetje bij.

We fietsten naast elkaar naar het stadion. Dezelfde route als anders, maar alles was nieuw. Ik keek nu en dan steels opzij, omdat ik bijna niet kon geloven dat het waar was. Dat ze naast me reed. Ik zag haar gezicht en haar haar. Ze neuriede voor zich uit en mijn

maag trok samen. Ik was hartstikke verliefd, van diep onder de grond tot een kilometer boven mijn kruin.
'Tegen wie moeten ze eigenlijk spelen?' vroeg Dana. 'Als je het niet erg vindt dat ik er niet zoveel van af weet.'
'Hellas,' zei ik. 'Dat wordt echt een makkie. Vorig jaar zijn ze bijna gedegradeerd en dit seizoen hebben ze alles nog verloren.'
'Mooi,' zei ze. 'Ik ga natuurlijk niet mee om onze plaatselijke topclub te zien verliezen.'
'Dit seizoen moeten we Europees halen.' Ik lachte. 'Misschien komt Barcelona hier dan wel spelen.'
'Dat zou wat zijn.' Ze knikte. 'Ook een makkie?'
'Och,' zei ik overmoedig. 'Wie weet.' Robur was onoverwinnelijk en zo voelde ik me zelf ook.
Toen we de fietsen weggezet hadden, liepen we naar onze ingang. Ik verbeeldde me dat iedereen Dana nakeek. En mij ook natuurlijk, bofkont die ik was. De bofkont van de week. Bij de ingang zag ik Harry staan, met Remco, Bert en Dirk, en ik werd een beetje zenuwachtig.
Harry zag ons aankomen en zijn mond zakte open van verbazing. Hij keek van Dana naar mij en kon even geen woord uitbrengen.
'Wat doe jij hier?' kreeg hij er ten slotte uit. Hij keek Dana geërgerd aan.
'Hallo,' zei Dana. 'Ja, ik dacht: och, een partijtje voetballen...' Ze keek de andere drie vrolijk aan. Ze zeiden niets terug.
'Jij?' vroeg Harry verbijsterd. 'Naar voetballen? Als er een is die op voetballen scheldt... Heb je een kaartje?'
'Ik scheld niet op voetballen,' zei ze. 'Ik hou alleen niet van dat patserige gedoe eromheen.'
'Ze heeft de seizoenkaart van Johnny,' zei ik. Harry keek achter ons, alsof hij verwachtte dat Johnny eraan kwam en dat het gewoon een geintje was. 'Hij is ballenjongen,' legde ik uit.
'Ballenj...' Hij slikte. 'Dat heb ik weer! Mijn zus bij het voetballen. Kun je niet ergens anders gaan zitten? Ik ken je niet, hoor.'
'Wat onaardig van je.' Ze probeerde hem over zijn hoofd te aaien en hij trok geïrriteerd zijn hoofd terug. 'Ik zal je heus niet in de weg

lopen. Maar ik ga wél naar binnen. Daar heb jij namelijk niets over te zeggen.'
Harry keek kwaad naar mij en ik gebaarde dat ik er ook niets aan kon doen. Hij draaide zich nijdig om en liep naar de ingang. Remco, Bert en Dirk volgden hem, alledrie met een licht grijnsje op hun gezicht.
'Kom,' zei Dana. 'Moeten wij hier ook in?'
'Zeker wel,' zei ik. We gingen naar binnen.
Toen we in het vak kwamen, waren de ballenjongens net het veld op gekomen, met Johnny als laatste. Een voor een werden ze voorgesteld. Toen de naam van Johnny werd omgeroepen, klonk er gejuich uit vak G. Hun Johnny. Ik zag hoe hij daar in de middencirkel stond, de kleinste van de vier. Mijn Johnny.
'Hij is wel populair,' zei Dana.
'Hij wordt later een heel goeie voetballer,' zei ik.
Op de tribune zag ik Harry met een chagrijnig gezicht naast Bert zitten.
'Daar moeten we zijn,' wees ik. Dana klom onverstoorbaar naar boven en ging naast haar broer zitten. Ik zat aan haar andere kant.
'Ik ken je niet, hoor,' zei Harry weer. 'Ik wil niks met je te maken hebben.'
'Goed,' zei Dana. 'Ik ben tenslotte je zusje maar.' Ik zei niets. Ik voelde me opgewonden en ongemakkelijk tegelijk.
'Hé, Harry!' riep iemand een paar rijen achter ons. 'Is dat mokkel van jou?' Harry gaf geen antwoord en bleef nijdig voor zich uit kijken.
'Die zit lekker in haar broek, zeg,' ging de stem verder. 'Als je er nog eens genoeg van krijgt, hou ik me aanbevolen.'
Ik keek opzij naar Dana. Ze zei niets en draaide zich niet om. Maar ze stak haar linkervuist op, met een krom pinkje erbovenuit. Van verschillende kanten klonk gelach.
'Alsjeblieft, zeg,' siste Harry tussen zijn tanden door. 'Moet dat nou? Moet je mijn lol bij het voetballen nou ook bederven?'
'Ik bederf niks,' zei Dana. 'Ik zit hier alleen maar.'
'Dat bedoel ik,' zei Harry.

Maar toen klonken de basgitaren. *The Eye of the Tiger.* Iedereen ging staan en de spelers kwamen het veld op. Het gesprek was afgelopen.

Robur was de sterkste en Hellas deed niet meer dan verdedigen. De Hellas-suporters in het vak naast ons waren stil en wij zongen: '*Dat zijn de homo's, ja vast. De homo's van Hellas!*'
Dana zong niet mee. Ze stond met haar handen in haar zakken naar het veld te kijken. Tegen Harry zei ze niets meer.
Na ruim tien minuten werd het 1-0 voor Robur. Hakballetje van Miroslav Bajic, bijna niet te volgen. La Cucaracha! We sprongen op onze stoeltjes en juichten als gekken. Dana deed mee. Ze sloeg me enthousiast op mijn schouder en riep: 'En dat is één!' Ik hou van haar, zei ik tegen mezelf. Ik hou van haar voor de rest van mijn leven.

Johnny stond achter de borden bij het Hellas-doel. Hij had niet veel te doen. Een enkele bal die over de reclameborden ging, gooide hij terug en hij hield zich meer bezig met zwaaien naar de tribune. Robur bleef sterker, en de Hellas-verdediging was meer dan eens in paniek. Toen de bal voor de zoveelste keer rakelings langs het doel vloog, was er voor Johnny eindelijk weer werk. Hij pakte de bal op terwijl de keeper van Hellas zijn verdedigers stond uit te maken voor alles wat mooi, maar vooral lelijk was. Johnny wipte de bal op met zijn rechtervoet en hield hem een paar keer hoog, op zijn hoofd en op zijn voet. Net op het moment dat ze op de tribune begonnen te applaudisseren, schoot hij de bal met een sierlijke boog over het doel. De bal kwam tegen het achterhoofd van de keeper, die nog steeds woedend stond te gebaren, en stuiterde in het doel. Iedereen weer op de stoeltjes en het dak ging van de tribune.
'Jóhnnie-ie-ie, Jóhnnie-ie-ie!' schalde het door het stadion. Zelfs Harry ontdooide. Hij lachte zich tranen. Bijna iedereen stond dubbel trouwens. Johnny zelf draaide zich om en maakte een buiging naar de tribune, terwijl achter hem de keeper met een chagrijnig gezicht de bal uit het doel haalde.

Applaus daalde neer en Dana deed mee. 'En dat is twee,' zei ze laconiek. De dag kon niet meer stuk.
Hellas was de weg kwijt en tegen het eind van de wedstrijd stond het 4-0. Op een gegeven moment zag ik tussen de Hellas-supporters de dikke jongen van de vorige keer. Hij keek kwaad naar ons vak en drong met een paar anderen op naar de tussenwand. De meeste Hellas-supporters konden de wedstrijd niet meer aanzien en richtten zich op de vijand. Op ons dus.
'*Robù-ù-ùr! Boerù-ù-ùh!*'
Het antwoord liet niet op zich wachten: '*Iedereen is een boer! Iedereen is een boer! Iedereen is een boer behalve wij!*'
En Hellas: '*Schop, schop, schop ze dood! Schop die boeren dood!*'
En Robur: '*Josti-Josti-Josti-Josti-band!*'
Het gebruikelijke spel, en ik deed uit volle overtuiging mee. We drongen op naar de scheidingswand tussen de twee vakken en jouwden alles wat Hellas was uit. Een paar stewards kwamen een beetje halfslachtig tussenbeide, maar eigenlijk deden ze niets. Er viel ook niet zoveel te doen. We bleven gewoon in ons eigen vak. Daar was het namelijk feest. Dana hield haar mond. Ze keek naar het veld, waar de wedstrijd uitging als een nachtkaars.

Na de wedstrijd keurde Harry zijn zus geen blik waardig – mij ook niet trouwens – en verdween met zijn vrienden in de massa.
'Dag, broertje!' riep Dana nog, maar hij keek niet op of om. We liepen met zijn tweeën naar onze fietsen.
'En wat vond je ervan?' vroeg ik.
'Ja,' zei ze. 'Ik snap waarom jullie zo'n kaart hebben.' Ze gaf Johnny's seizoenkaart aan me terug. 'Het is echt leuk. Het meeste wel tenminste.'
'Hoezo?' Ik haalde mijn fiets van het slot en we manoeuvreerden tussen de mensen door.
'Eigenlijk zijn er twee wedstrijden,' zei ze. 'De ene op het veld en de andere op de tribune.'
'O, de supporters bedoel je.' Ik knikte enthousiast. 'Tof, hè?'
Ze haalde haar schouders op. We fietsten over het fietspad langs de

file wachtende auto's. 'Als je je eigen club aanmoedigt, is het tof natuurlijk. Maar dat uitschelden van de tegenpartij vind ik maar niks. En wat is er mis met homo's?'
Ik zweeg even. Ik wist niets van homo's. Maar ja, iedereen gebruikte het als scheldwoord en ik deed mee. Lekker in de maat en allemaal tegelijk. Nu ik terugdacht, herinnerde ik me dat Dana daar niet aan meegedaan had.
'Och,' zei ik. 'Zo erg is dat toch niet. Het is alleen maar roepen. En zij doen het ook.'
'Ik vind het achterlijk,' zei ze. 'Harry heeft het thuis ook alleen maar over vijanden en kankerboeren. Als mijn moeder er niet bij is dan.'
'Is hij bang voor zijn moeder?' Ik moest lachen.
'Hij krijgt meteen op zijn donder als hij zo begint. Ze is een kop kleiner dan hij, maar hij kan niet tegen haar op.'
Daar moest ik even over nadenken. Harry die op zijn kop kreeg van zijn moeder. Ik zag het voor me en lachte weer.
'En wat gaat Harry nu doen, met die andere jongens?' vroeg ze.
'Ik weet het niet,' zei ik. 'Misschien iets drinken.'
'Of rellen,' zei ze. 'En als ik er niet bij geweest was vanmiddag, was jij dan met ze meegegaan?'
'Je bent er wél,' zei ik. 'Gelukkig wel.' Ik zei het zomaar en kreeg een rood hoofd. 'Ik weet niet of ik meegegaan zou zijn.' Ze zei even niets, en ik bedacht dat ik het waarschijnlijk wél gedaan zou hebben. Samen met de jongens naar weet ik wat. Maar goed, ik fietste tien keer liever naast Dana naar huis, dat wel.
'Maar die Johnny van jullie is fantastisch,' zei Dana. 'Dat doelpunt van hem. Ik zal hem morgen feliciteren.'
Ik zei niets, maar voelde me meteen jaloers worden. Kon ík maar iets, dacht ik. Wat kon ik eigenlijk? Niets bijzonders. We passeerden een groep jongens die op weg waren naar hun auto. Ze riepen naar Dana en floten haar na. Dana lachte voor zich uit, superieur, en ik voelde me weer warm worden. Ik kon dan niet zoveel, maar we reden wel mooi samen over het fietspad. En ze had me gezoend. Ik nam me voor om in het vervolg alleen maar mee te zingen met

liedjes die vóór Robur waren. Dana had gelijk. Natuurlijk had ze gelijk. Al zou het nog zo stom zijn geweest wat ze zei, ik zou haar gelijk gegeven hebben.
'Ga je nog op je dakje?' vroeg ze, toen we bij mijn huis stonden.
Ik keek omhoog. 'Misschien wel,' zei ik. 'Als het donker wordt. Nog even van de overwinning genieten.' Ik wachtte even, maar ze zei niet wat ik hoopte: dat ze nog even naar me toe zou komen.
'Nou, dag,' zei ze. 'Het was leuk, echt waar.' Ze streek even met haar hand over mijn hoofd en verdween met haar fiets in de tuin.
Ik stond nog zeker een volle minuut te staren naar de plek waar ze was verdwenen en zette daarna mijn fiets in de schuur. Toen ik naar de keukendeur liep, zag ik door het raam mijn vader in de kamer zitten. Het viel me ineens op dat hij er gebogen uitzag en moe. Hij had een boek in zijn hand, maar keek door het zijraam naar buiten. Toen ik binnen was, wilde ik eerst naar boven gaan, maar ik hing mijn jack aan de kapstok en ging naar de kamer. Mijn vader keek op en ik schrok van de lege blik in zijn ogen. Dat duurde maar heel even. De leegte werd gevuld met afkeuring.
'Alweer voetbal?' zei hij. 'Bestaat er ook nog iets anders in je leven?'
'Jazeker wel,' zei ik, nog vol van Dana.
'Wat dan?' vroeg hij.
Ik wilde het hem wel vertellen. Ik wilde het aan de hele wereld vertellen. Maar ik deed het niet. Zoals gewoonlijk hield iets me tegen. Het kwam gewoon doordat ik het niet gewend was. Ik praatte met mijn vader niet over mezelf, over mijn wereld. Niet meer.
'School, natuurlijk,' zei ik. 'En thuis. Gezelligheid en zo.' Het klonk ontzettend lullig en duidelijk niet gemeend, maar ik kon het niet laten. Ik kon het niet uitstaan dat hij zo minachtend deed over het voetballen. Hij keek me aan en even kwam er iets in zijn ogen dat op verdriet leek. Op pijn.
'Nou, mooi,' zei hij toen. 'Daar ben ik blij om.' Meer niet. Toen keek hij weer in zijn boek. Ik liep de kamer uit en ging naar boven.

‘Ik moet je wat laten zien.’

Onder het eten werd er weinig gesproken. Ik lette onopvallend op mijn vader. Die korte blik in zijn ogen was me bijgebleven en ik vroeg me af of er iets was gebeurd. Maar ik merkte niets aan hem. De korte zinnen die gezegd werden gingen over het eten, het werk van mijn vader – ik had niets meer gehoord over zijn overplaatsing – over een tante van me die ik nauwelijks kende en over het weer. Ik deed niet mee aan die gesprekjes.

In het tv-journaal, na het eten, ging het over geld, oorlog en vluchtelingen. Ook al niets nieuws. Maar toen kwam, als een donderslag bij heldere hemel, opeens nieuws uit mijn eigen stad. Nieuws over Robur!

De nieuwslezer meldde dat er na de wedstrijd Robur – Hellas, door Robur met 4-0 gewonnen – yes! – gevechten waren geweest tussen groepjes supporters.

‘Alsjeblieft. Daar zul je het hebben!’ zei mijn vader, en mijn moeder slaakte een benauwd kreetje.

‘Daar heb je niets van verteld,’ zei ze tegen mij.

Ik maakte een afwerende beweging en keek gespannen naar de beelden.

Een groep Hellas-supporters was de ongeregeldheden begonnen, zei de nieuwslezer, en Robur-supporters hadden teruggevochten. De politie was met te weinig mensen in de buurt geweest en had in het begin de groepen niet uit elkaar kunnen houden.

Ik zag vechtende en rennende mannen en jongens – geen meisjes – en herkende de omgeving van het stadion.

‘Daar heb ik niks van gemerkt,’ zei ik verbaasd. ‘Toen waren we al weg zeker.’

Mijn vader snoof geërgerd, maar zei niets. Ik keek of ik iemand herkende, maar het ging allemaal nogal snel. Totdat ik opeens de dikke jongen van Hellas vol in beeld zag.

'Die ken ik!' riep ik uit.
'Ken jij die?' vroeg mijn moeder vol afschuw. 'Zo'n vandaal?'
'Nou, niet echt,' zei ik. 'Hij is van Hellas. Ik heb hem gezien op de tribune.' Ik wist bijna zeker dat Harry daar ook bij geweest moest zijn en ik keek zwijgend toe. Even meende ik Kaalmans te herkennen. Hij schopte iemand die op de grond lag en maakte dat hij wegkwam toen een paar politiemannen op hem af renden.
'Moet je nou toch zien,' zei mijn vader. 'Opsluiten dat tuig.'
Ik wilde zeggen dat ik hem ook kende, maar ik hield me in. Harry zag ik niet, en de nieuwslezer kwam weer in beeld. Er waren vier arrestaties verricht, zei hij, en het was nog een tijd onrustig geweest rond het stadion.
'Dat bedoel ik nou,' zei mijn vader. 'Voetballen ís al niet zo intelligent, maar dat vechten eromheen wordt steeds gewoner.'
'Ik vind het maar niks dat jij daarbij bent, Marten,' zei mijn moeder ongerust. 'Ik snap gewoon niet wat je daaraan vindt.'
'We waren toch allang weg,' zei ik ongeduldig. 'Dat zeg ik toch. Ik heb er helemaal niks van gemerkt.'
'Ik zag Harry anders net pas thuiskomen,' zei mijn moeder.
'Ik bedoel Harry niet, ik bedoel Dana.'
'Ja, Dana,' zei mijn moeder. 'Het valt me echt tegen dat zo'n meisje daarheen gaat.'
'Denkt u nou heus dat er alleen maar gevochten wordt?' vroeg ik geïrriteerd. 'Er komen genoeg keurige mensen, hoor. Ouders met kinderen, en zo.'
'Echt?' Ze kon het nauwelijks geloven.
'Als ik merk dat jij aan die vechterijen meedoet, is het wel gebeurd met dat voetballen,' zei mijn vader, die ons gesprek zwijgend aangehoord had. 'Dan lever je die kaart bij mij in, als je dat maar weet.'
'Het is gewoon leuk in het stadion!' zei ik kwaad. Ik merkte zelf hoe slap dat klonk. Gewoon leuk, dat leek op niks. Maar ik kon het niet uitleggen. En wat ík leuk vond, zou hij verafschuwen, dat wist ik zeker. 'Waarom gaat u zelf niet een keer? Met oom Paul, bijvoorbeeld.' Het idee kwam opeens bij me op en ik vond het goed be-

dacht. Dan zou hij in ieder geval niet in ons vak terechtkomen. Maar het viel verkeerd.
'Als ik gek was,' zei mijn vader alleen maar. 'Je hebt me gehoord, hè. Ik hou het in de gaten.'
Ik stond op en liep naar de deur. 'Waarom vertrouwt u me niet?' vroeg ik. Toen ging ik naar mijn kamer. Ik zou geen geweld plegen. Een beetje pesten, een klapje op het dak van een auto, oké. Maar meer niet. Het gevoel dat ik er eigenlijk zelf bij had willen zijn, zette ik voor het gemak maar even van me af.

Tegen de schemer klom ik naar mijn dak. Ik hoopte dat Dana weer naar me toe zou komen, maar bij de buren zag ik geen teken van leven. Ik vroeg me af waar Harry was gebleven na de wedstrijd. Als Kaalmans erbij was geweest, was de kans groot dat Harry in de buurt was. Maar hij zat niet vast, want hij was alweer thuis. Morgen maar eens aan Dana vragen. Als ik haar zag.
Ik dacht terug aan de reportage van het tv-journaal. Gek dat dat allemaal was gebeurd zonder dat ik er iets van gemerkt had. Weer wilde ik, diep in mijn hart, dat ik erbij was geweest. Niet om te vechten natuurlijk, dat niet. Ik had nog nooit met iemand gevochten. Maar om het tenminste gezien te hebben, al was het dan van een afstand. Dan zou ik er nog meer bij horen. Morgen op school vertellen dat ik wel naar de wedstrijd was geweest, maar dat ik het vechten had gemist, dat leek me niks.
Ik dacht aan mijn vader, maar voelde niets. Laatst had ik in een oud album een foto gezien waarop ik bij mijn vader op schoot zat. We keken allebei lachend in de lens. Ik had naar de foto zitten kijken en kon me niet herinneren waar die gemaakt was. Was ik het wel? Ja, ik was het. Mijn vader hield me vast. We zaten tegen een zandberg, ergens op het strand. Vroeger gingen we altijd naar het strand in de vakantie.
Ik had wel eens gedacht dat het helemaal niet de bedoeling was geweest dat ik geboren werd. Een slordigheidje. Dat mijn ouders daarom zo afstandelijk waren. Maar zo zag het er op die foto toch niet uit.

Mijn vader hield me nooit meer vast, mijn moeder ook niet trouwens. Ik was het nakomertje, ongewenst misschien. Maar ja, ik was er toch. Toevallig wel.
'Pssst!' Ik keek opzij en zag hoe Dana zich uit het raam boog. Daar kwam ze!
Maar ze kwam niet. Ze riep me. 'Marten? Kom eens, ik moet je wat laten zien.'
Ik keek omlaag. De straat was leeg en in de tuinen die ik kon zien was niemand. Ik klom naar de nok van het dak en schoof naar opzij, net zoals zij gedaan had de vorige keer. Ik liet me voorzichtig naar haar dakkapel zakken en ging zitten.
'Binnen, bedoel ik.' Ze keek nog steeds uit het raam.
'Binnen, bij jou?' Mijn stem sloeg over en ik schraapte mijn keel.
'Bij mij, ja. Durf je niet?' Een beetje dat plagerige.
'Echt wel.' Ik zette mijn voeten op de dakpannen en schoof om de dakkapel heen. Dana stapte achteruit en ik klom via de vensterbank naar binnen.
Daar stond ik. Omdat ze niet zei wat ze me wilde laten zien, omdat ze helemaal niets zei, keek ik eerst maar eens om me heen. Lichtblauw behang met kleine kriebeltjes erop. Posters aan de muur. Een van Janet Jackson, schaars in het zwart gekleed, één ouderwetse in zwart-wit van James Dean – *James Dean?* – en nog een kleine van Brad Pitt, zag ik in de gauwigheid. Een bureautje met een schemerlamp erop. Een bed met een helderblauw dekbed. Twee kleine rotanstoeltjes.
'Leuke kamer,' zei ik. Niet de meest originele opmerking, maar ik kon me er in elk geval geen buil aan vallen. Ze zei niets, keek alleen maar naar me. Het lachje.
'Vindt je moeder het wel goed?' vroeg ik. 'Dat ik hier zomaar naar binnen klim?' Ze haalde heel even haar schouders op. Daar zat ze zo te zien niet mee.
'Wat wou je me nou laten zien?' Ik keek weer om me heen.
'Zo meteen,' zei ze. 'Heb jij Harry nog gezien?'
'Ik niet,' zei ik. 'Maar hij is toch hier? Mijn moeder zag hem thuiskomen.'

'Hij is thuis, ja.' Ze ging in een van de stoeltjes zitten. 'Maar je hebt hem dus niet meer gesproken.'
'Nee,' zei ik. 'Hoezo?'
'Heb je het journaal gezien?' En toen ik knikte, zei ze: 'Volgens mij was Harry daar ook bij. Daarom was hij zo laat thuis. Heb je die kale niet gezien?' Ik knikte weer. Hij was het dus toch geweest. 'Heeft Harry niets verteld?' vroeg ik.
Ze lachte schamper. 'Met mij praat hij niet over Robur. En na vandaag helemaal niet. Hij was goed pissig.'
'En je hebt nog wel zo hard gejuicht,' zei ik.
'Ja.' Ze stond weer op. 'Ben je niet benieuwd?'
'Naar Harry?'
'Nee, hou maar op over Harry. Naar wat ik je wil laten zien, bedoel ik.'
'Nou... ja, eerlijk gezegd wel,' zei ik.
Ze stond tegenover me, een meter van me vandaan. Ze droeg een spijkerbroek en een geel T-shirt. Er hing een vage, zoete geur om haar heen. Ik keek haar aan. Haar handen gingen omlaag en ze kruiste haar armen. Ze pakte de rand van haar T-shirt beet en trok het met een langzame beweging omhoog, en verder omhoog, en over haar hoofd. Ze liet haar armen zakken en het T-shirt viel op de grond. Haar bh was zachtgeel en haar huid was nog licht gebruind na de afgelopen zomer. Ik zag het allemaal in één oogopslag, en iets zei me, net op tijd, dat ik weer moest ademhalen.
'Vind je het mooi?' vroeg ze.
Vind je het mooi, jemig! Ik knikte sprakeloos en bewoog me niet. Ze deed een stap naar voren, pakte mijn hoofd met twee handen beet en zoende me. Ik stond daar maar, met mijn armen langs mijn lichaam. Ze pakte mijn ene hand en hield hem tegen zich aan. Ik voelde haar huid – zijde, fluweel, satijn? – en zoende haar voorzichtig terug. Het was niet echt, hield ik mezelf voor. Maar mijn andere hand zocht haar andere zij, voordat de droom voorbij zou zijn. Ze drukte zich tegen me aan en haar zoen bleef. Ik wreef met twee handen over haar rug. Toen pakte ze weer mijn ene hand en deed een stap terug. Terwijl ze me bleef aankijken, legde ze mijn hand op

haar linkerborst. Ik sloot mijn ogen. Allemachtig! Mijn buik in vlammen.
En toen was het voorbij.
'Dana, ben je boven?' klonk de stem van haar moeder onder aan de trap.
'Ja, ik ben hier,' riep ze terug. Met haar gewone stem, heel normaal. Dat zou ik haar nooit hebben kunnen nadoen. Mijn stem was weg en hij zou nooit meer terugkomen.
'Er is koffie!' riep haar moeder. 'Zal ik het bovenbrengen?'
'Nee, hoeft niet!' Dana pakte haar T-shirt van de grond en trok het over haar hoofd. 'Ik kom eraan.' Ze keek naar me en gaf me een snelle kus op mijn wang. 'Ga maar gauw,' zei ze zacht. 'Ik moet naar beneden.' Ze verdween naar de overloop en ik bleef alleen achter in haar kamer. Als in een droom hees ik me op de vensterbank en klom op de dakkapel. Ik wilde er gaan zitten, maar het was mijn dakkapel niet en bovendien was het zachtjes gaan regenen. Ik glibberde over de dakpannen naar mijn eigen raam en klom naar binnen, liet me ruggelings op mijn bed vallen en keek naar het plafond. Daar werd een film gedraaid waarop te zien was hoe Dana haar T-shirt uittrok. Ik was nog steeds buiten adem.
Het was de eerste keer dat ik een hele nacht niet sliep. Op een gegeven moment stond ik op om een gedicht te gaan schrijven. Ik kwam niet verder dan:
Toen ik in je ogen zag wat je wou,
wist ik dat ik ja zeggen zou...
Ik was geen dichter.
Ik pakte mijn Engelse woordenlijst om te gaan leren voor een S.O. Na een tijdje begonnen alle woorden met een l en eindigden op *ove*. Terwijl het buiten langzaam licht werd, lag ik nog steeds naar mijn slaap te zoeken. Ik gaf het op toen ik de krant in de brievenbus hoorde vallen. Ik kleedde me aan en ging naar beneden. Ik at twee droge boterhammen en liep buiten een tijd door de buurt, terwijl op straat heel langzaamaan het gewone dagelijkse leven op gang kwam. Voor mij zou het leven nooit meer gewoon of dagelijks zijn.

‘Totaal gewichtsloos, man!’

Toch draaide de wereld door. Ik ging naar school en volgde de lessen, praatte met Johnny over van alles en nog wat, maar vooral over voetbal. Ik kon het niet laten hem op triomfantelijke toon te vertellen dat ik nu echt verkering had met Dana. Wat er werkelijk gebeurd was op haar kamer hield ik voor mezelf. Maar ik was er zeker van dat zij net zo verliefd was op mij als ik op haar.
Johnny keek me twijfelend aan. ‘Heb je het gevraagd?’ vroeg hij. ‘Van die verkering?’
‘Dat niet,’ zei ik. ‘Maar het kan gewoon niet anders. Dus waarom zou ik het vragen?’
‘Ik zou het toch maar doen,’ zei Johnny. ‘Dan weet je het zeker.’
Ik deed het niet. Ik vond het echt stom. Ik was niet van plan iets te gaan vragen wat ik zeker wist. Maar ik durfde het ook niet. Johnny praatte meestal luchtig en vrolijk over dingen. Met een geintje hier en daar. Maar hierover leek hij heel serieus en het bleef in mijn hoofd hangen, of ik wilde of niet. Daar kwam bij dat ik Dana heel weinig zag. En als ik haar zag, was ze niet alleen. Er waren meestal vriendinnen bij haar. En soms een jongen uit haar klas. Maar dat was logisch natuurlijk. Dan hadden ze het over school of over huiswerk of repetities. En als ik haar met zo’n jongen zag lachen in de pauze op het plein hadden ze het natuurlijk over hoe stom ze een leraar vonden, of zoiets. Daar moest ik me geen zorgen over maken. Eén keer haalde ze me in toen ik naar huis fietste. We maakten een omweg en ergens in de polder, tussen de struiken van een voormalige paardenrenbaan, zoenden we. Zeker een kwartier. Mijn handen schoven onder haar T-shirt, maar ze wilde het niet uitdoen. Dat begreep ik heus wel. Stel je voor dat iemand ons zag. Johnny had ongelijk. Ze hield van me en ik hoefde nergens naar te vragen. Die nacht droomde ik van haar en haar kamer, alsof alles nog een keer

gebeurde. 's Morgens keek mijn moeder verbaasd toe hoe ik mijn beddengoed in de wasmachine stopte.

'Wil je eens een keer een aanstormend talent aan het werk zien?' vroeg Johnny op een dag. We liepen over het schoolplein. 'Dan kun je later zeggen dat je het altijd al wel gedacht had.'
Ik begreep niet wat hij bedoelde, maar hij wees op zichzelf.
'Kom een keertje bij mij kijken. Zaterdag spelen we thuis tegen Apollo. Kost niks.'
Dat wilde ik wel eens zien.
'Kom eerst naar mij toe,' zei Johnny. 'Om een uur of elf. Dan kun je kennismaken met mijn ouders. Ik heb al over je verteld.'
Ik was verrast. De gedachte dat iemand thuis over mij zou vertellen, was nooit bij me opgekomen.
'Wat valt er nou over mij te vertellen?' zei ik.
'Nou, niet echt veel,' gaf hij grijnzend toe. 'Over je verkering heb ik het nog niet gehad bijvoorbeeld.'
Ik lachte zuinig en keek om me heen. Dana was er niet. 'Mooi,' zei ik. 'Nou goed. Zaterdag kom ik.'
'Leuk.' Hij gaf me een klap op mijn schouder. 'Dat vind ik echt leuk.' Ik had opeens dat warme gevoel dat je hebt als het heel goed klikt tussen twee mensen. Zo'n gevoel dat je helemaal in bezit neemt.

Johnny's huis was kleiner dan het mijne, maar het was gezellig. Waarschijnlijk omdat het veel lichter was. Geen grote bomen langs de straat, en geen eikenhouten meubels. Binnen was alles vooral roomkleurig en lichtgeel, en hoewel het niet groot was, was het er op de een of andere manier heel ruim.
Johnny's moeder paste daar perfect bij. Alles aan haar was licht, van de kleur van haar haar tot aan haar manier van praten. Ik voelde me bij haar meteen op mijn gemak.
'Is papa nog niet thuis?' vroeg Johnny.
'Hij heeft gebeld,' zei ze. 'Hij moest nog even iets afmaken en dan zou hij meteen naar het veld komen.'

'Dat is hem geraden.' Johnny keek ongerust. 'Het zou de eerste keer niet zijn dat hij pas in de tweede helft aan kwam zakken.'
'Hij doet zijn best, John. Dat weet je. En deze klus is heel belangrijk.' Ze liep naar de deur van de keuken. 'Wil je iets drinken?' vroeg ze aan mij.
'Graag, mevrouw,' zei ik.
'Mijn vader werkt bij een reclamebureau,' zei Johnny. 'En soms moet hij een STER-spotje maken. Voor de televisie.' Ik was onder de indruk.
'Heb je die al gezien van die man die ontslagen wordt in de winkel waar ze scheerapparaten verkopen?' Ik keek hem vragend aan. 'Omdat hij zijn baard wil laten staan.'
'Nee, niet gezien,' zei ik
'Nou ja, hij is er nog maar pas.' Hij lachte. 'Hou het maar in de gaten. Lachen, man. Die komt van zijn bureau.'
Johnny's moeder kwam terug met sinas en het werd echt gezellig. Ze deden heel anders tegen elkaar dan ik thuis gewend was. Maar ja, ze was pas tweeëndertig, hoorde ik later, en Johnny was al veertien. Ze waren allebei nog jong. Toen ik geboren werd, waren mijn ouders allebei al veertig. We dronken nog een tweede glas en aten er een stroopwafel bij. En toen zei Johnny dat we moesten gaan. Hij had een hekel aan te laat komen. Op het nippertje was ook niet goed. Een sportman moest voor de wedstrijd rustig aan kunnen doen. Geen haast en zo. Dat was slecht voor de concentratie, zei hij. Concentratie was alles.
'Mag ik onderweg nog wel tegen je praten?' vroeg ik.
'Alleen peptalk,' zei Johnny.
'Peptalk?'
'Geintje.' Hij pakte zijn tas die bij de deur stond en gaf zijn moeder een kus.
'Doe je best,' zei ze. 'En voorzichtig. Ik kom kijken.'
'Voorzichtige voetballers redden het niet,' zei hij.
Ze reageerde niet, maar zei: 'Dag Marten. Ik zou het leuk vinden als je nog eens kwam.' Ik knikte.
'Ik ook,' zei ik.

Toen we bij het veld waren aangekomen, was ik Johnny meteen kwijt. Hij verdween met een groepje jongens in de kleedkamer en ik ging op een bankje naast het veld zitten. Bij een van de doelen werd een keeper onder handen genomen. Hij was goed. Als we op school wel eens voetbalden, liet de keeper zich altijd vallen als hij de bal wilde stoppen. Maar deze dook als een roofdier naar elke bal. Een man in trainingspak schoot op het doel.
'Naar die bal toe!' riep hij. 'Niemand mag hem hebben, behalve jij. Die bal is je vriend! Kom op, Roberto!' Hij vuurde de ene na de andere bal op het doel af en gaf de keeper geen rust. Ik werd al moe als ik ernaar keek.
Daar zat ik dan. Ik was nog nooit in mijn leven zo vaak met voetballen bezig geweest als het laatste halfjaar. Dat zou ik een jaar geleden nooit gedacht hebben. Ik dacht aan thuis. Over sport werd nooit gepraat. Mijn ouders hadden voor andere dingen belangstelling. Lezen, concerten. Ik kon me hen niet voorstellen langs de kant van een voetbalveld. Ik keek om me heen. Hier en daar stonden plukjes mensen te praten. Ouders waarschijnlijk. Ik kreeg opeens medelijden met mezelf. Hadden mijn vader en moeder maar eens wat belangstelling voor wat ik deed. Maar ja, aan de andere kant: wat deed ik eigenlijk? Misschien moest ik ook maar eens naar een leuke sport op zoek. Atletiek bijvoorbeeld.
De spelers van Robur kwamen het veld op. Johnny knipoogde naar me toen hij langs me liep. Ze deden een warming-up onder leiding van hun trainer. Heel fanatiek. Loopoefeningen, rekken en strekken en dergelijke. De trainer hoorde zichzelf graag schreeuwen.
'Je komt achteraan, Edward! Is het weer zover? Ik wil je voor in de groep zien!' Een lange, donkere jongen maakte zijn passen wat langer en schoof langzaam op naar voren.
'Kop dicht, Johnny! Spaar je adem. Laat straks eerst maar eens wat zien, dan kunnen we altijd nog praten!' Johnny trok een gezicht tegen zijn buurman, maar zei niets meer. De groep trok een paar korte sprintjes over de breedte van het veld. Bij het andere doel waren de spelers van Apollo met de bal bezig.

'Ik wil meer fanatisme!' brulde de trainer. 'Als jullie vanmiddag op je bek gaan, komt dat doordat je nu al te sloom bent. Kom op!'
De ouders langs de kant waren gestopt met praten en keken naar de groep op het veld. De sfeer werd enigszins gespannen. Het leek wel een beetje op hoe het op school ging als de leraar een slechte bui had. Voetballen bij Robur was niet alleen maar leuk, bedacht ik.
Na de warming-up kwam Johnny naast me zitten. 'Het is weer eens zover,' zei hij, nog een beetje buiten adem. 'Vandaag is het mijn beurt voor de verandering.'
'Wat bedoel je?' vroeg ik.
'Ach, die trainer, man. Hij moet altijd wat te zeuren hebben. Elke keer kiest hij er een of twee uit waar hij tegen tekeer kan gaan. Het lijkt wel of hij 's morgens strootjes trekt. Vandaag ben ik weer eens de pispaal.'
'Waarom doet hij dat dan?'
'Weet ik het.' Johnny veegde het zweet van zijn voorhoofd. 'Misschien denkt hij wel dat hij een slechte trainer is als hij niet kan schelden. Nou ja, wat kan mij het schelen.'
'En die andere jongen, die donkere?'
'O, Edward.' Johnny haalde zijn schouders op. 'Die gaat weg.'
'Is hij niet goed genoeg?'
'Volgens de trainer niet.'
'Rot,' zei ik.
'Voor hem wel.' Johnny stond op. 'Voor ons niet. Weer een concurrent minder.'
Zo ging het dus op dat niveau. Ieder voor zich.
Johnny liep naar de kleedkamer. 'We zullen die trainer eens wat laten zien!' riep hij over zijn schouder.
Even later kwam Johnny's moeder. Ik wilde zwaaien, maar ze zag me niet. Ze liep naar een man die in zijn eentje aan de overkant van het veld stond. Ze kuste hem. Johnny's vader, een kleine man met donker haar. Ik vond het gek om nu zomaar naar ze toe te gaan, dus bleef ik zitten waar ik zat. Ik was het wel gewend. Ik zat zo vaak alleen.

Tijdens de wedstrijd kwam Johnny moeilijk op gang. Hij verloor een paar duels van de verdediger die tegenover hem stond. Die was zeker een kop groter en hij gebruikte zijn volle gewicht. En aangezien Johnny daar niet zoveel van had, had hij niet veel in te brengen. Na een tijdje werd de trainer ongeduldig.
'Spélen, Johnny!' riep hij, toen Johnny weer van de bal gezet werd. 'Spéél dan toch, man!'
De bal afgeven, bedoelde hij, zo hoorde ik uit het commentaar van een paar mensen naast me.
Met een ongelukkig gezicht sjokte Johnny terug naar zijn eigen helft. Hij had zich waarschijnlijk een betere demonstratie voorgesteld.
Hij kreeg steeds minder vaak de bal, maar op een gegeven moment werd hij weer aangespeeld. Hij keek om zich heen en legde de bal breed naar een vrijstaande medespeler. De trainer stond zich vreselijk op te winden.
'Acties maken, Johnny!' riep hij. 'Neem nou toch eens wat meer initiatief!'
Johnny draaide zich naar hem om. 'Wat lul je nou, man!' riep hij terug. 'Wat moet ik nou doen, afspelen of acties maken? Wat wil je?'
'Kop dicht,' zei de trainer. 'Voetballen.'
'Volgens mij is die jongen dat al een halfuur aan het doen,' zei een man naast me. 'Die trainer weet niet wat hij wil.'
'Hij roept maar wat,' zei zijn buurman. 'Al vind ik wel dat Johnny er niet veel van bakt vandaag.'
Het was zo. En het bleef zo, tot aan dat ene glorieuze moment vlak voor de rust. De scheidsrechter had de fluit al in zijn mond om af te blazen, toen vanaf het middenveld de bal nog een keer op de bonnefooi naar voren getrapt werd. Johnny was net een stuk naar het midden van de aanval opgeschoven. Hij keek snel om zich heen en zag dat hij vrij stond. De bal vloog op de wind en Johnny sprong op voor een omhaal. Hij zag het doel achter zich niet, maar wist dat het er was. Met gespreide armen hing hij een moment in de lucht en hij zwiepte zijn rechterbeen omhoog. De bal landde op zijn voet en vloog met een strak uitgevoerde boog naar de hoek tussen lat en

paal. De keeper keek alleen maar. Het net bolde en Robur stond voor met 1-0.
In mijn gedachten heb ik dat moment heel vaak teruggezien. Als in een vertraagde film zie ik Johnny als een vogel met gespreide vleugels, vederlicht bijna, de lucht in gaan. De bal en Johnny's voet zoeken elkaar en komen elkaar precies op het goede moment tegen. Johnny blijft eindeloos in de lucht hangen en zweeft ten slotte, nauwelijks gehinderd door de zwaartekracht, terug naar de aarde, terwijl de bal het net raakt.
Een seconde of twee hing er rond het veld een ongelovige stilte. Toen klonken er kreten van bewondering en iedereen applaudisseerde. Tegenover me zag ik Johnny's ouders. Ze sprongen allebei op. Johnny's moeder had haar handen voor haar mond geslagen en Johnny's vader had zijn armen uitgestrekt, alsof hij in vak G in het stadion stond. Hij riep iets, maar ik kon hem van die afstand niet horen.
Johnny verdween onder een kluwen enthousiaste medespelers en de scheidsrechter floot voor de rust. Breed grijnzend liep Johnny even later het veld af. Hij stak zijn vuist naar me op en keek naar zijn trainer.
'Bedoel je zoiets?' vroeg hij.
'Zoiets bedoel ik, ja,' zei de trainer. 'Je had het gewoon even nodig.' Hij gaf Johnny een mep op zijn schouder. 'Klasse, jongen.' Hij snoof en keek om zich heen alsof hij zelf gescoord had.
Op de terugweg raakte Johnny niet uitgepraat. De wedstrijd was toch nog in een gelijkspel geëindigd, maar daar maalde hij niet om.
'Ik was in de ruimte,' zei hij. 'Totaal gewichtsloos, man.'
'Maar moet je voor zoiets ook niet een beetje geluk hebben?' vroeg ik.
'Als je het niet kunt, zul je dat geluk ook nooit hebben,' zei hij bestraffend. 'Probeer het maar eens.'
'Mmja, ik denk dat je gelijk hebt,' zei ik.
'Natuurlijk heb ik gelijk.' Hij haalde zijn handen van het stuur en reed met gespreide armen verder. 'Gewichtsloos,' zei hij nog een keer. 'Maar dan ook helemaal!'

'Snoepen?'

Toen ik het laatste stuk alleen naar huis fietste, besloot ik een poging te doen het Europees jeugdrecord te breken van het parcours vanaf de molens, langs de tennisbanen, naar de atletiekbaan. Johnny was op weg om topvoetballer te worden, maar ik kon ook nog wel wat.
Het was een koele namiddag, ideaal loopweer. Ik gebruikte het stuk tot aan de molens voor mijn warming-up, met stukjes dribbelen, een paar oefeningen. Nooit zomaar beginnen, had ik wel eens gehoord. Ik trok mijn veters strakker aan en dribbelde nog een paar keer heen en weer. De gebruikelijke concentratie voor zo'n belangrijke loop.
Het schot viel en ik ging meteen voortvarend van start. Het had bij zo'n recordpoging geen zin om rustig te beginnen. Daarvoor was het parcours ook te kort.
Ik voelde de kracht van mijn passen en versnelde toen ik halverwege was. De laatste tweehonderd meter ging ik voluit. Ik verbeterde het record met ruim vier seconden, zag ik op het scorebord bij de finish. Moe maar tevreden wandelde ik verder, over de brug en dan naar huis.
Aan de andere kant van de rivier zag ik twee fietsers uit een zijstraat komen, een meter of vijftig voor me uit. Een jongen en een meisje. Met een schokje herkende ik Dana. Ze fietsten voor me uit en praatten met elkaar. En vlak voordat ze de hoek omgingen, pakten ze elkaars hand.
Ik stond meteen stil en keek ongelovig naar de hoek. Had ik dat goed gezien? Dat kon niet. *Dan kun je in de rij gaan staan*, ik hoorde het Johnny weer zeggen. Ik rende naar de hoek, maar toen ik daar aankwam, was de straat leeg. En even later, toen ik bij mijn huis was, zag ik ook niemand meer. Ik wilde niet dat het Dana was geweest, maar in mijn hart wist ik dat ik het goed gezien had.

Misschien was er een goede verklaring voor, zei ik tegen mezelf. Gewoon vriendschappelijk, dat was het geweest. Niet bijzonders. Iedereen hield de hand van iemand anders wel eens vast. Hoewel, zelf deed ik dat nooit. Ik stond besluiteloos stil bij de ingang van de tuin toen Harry eraan kwam.
'Sportman van het jaar,' zei hij.
Het duurde even voor ik begreep waarom hij dat zei. Maar ik stond daar bezweet en hijgend bij de stoep. Ik had er niet meer aan gedacht dat ik hardgelopen had. Even overwoog ik om Harry te vragen of Dana een vriendje had. Maar dat kon ik uitgerekend aan hem beter níét vragen.
'Even een eindje wezen hardlopen,' zei ik. 'Gewoon voor de aardigheid.'
'Tja,' zei Harry. 'Sporten, dat moet ik ook eens gaan doen.' Hij wilde doorlopen.
'Ik heb Johnny zien voetballen vanmiddag,' zei ik. 'Hij scoorde nog, met een omhaal.'
'Laat Johnny maar schuiven,' zei Harry.
'Was jij nou laatst ook bij die vechtpartij?' vroeg ik opeens. We hadden het er nooit meer over gehad. 'Ik zag wel die ene met dat kale hoofd op het journaal.' Harry keek me zwijgend aan. 'Tenminste, dat dacht ik,' zei ik.
'Ik was toevallig in de buurt,' zei hij nonchalant. 'Maar ja, vechten, zie je me daarvoor aan?'
Ik wist het eigenlijk niet. Ik kende hem nauwelijks. Ik zag hem alleen maar bij wedstrijden en zo nu en dan toevallig thuis.
'Nooit zo over nagedacht,' zei ik. 'Ik denk het niet.'
'Vechten is voor de dommen,' zei Harry. 'Al moeten ze me niet aanvallen natuurlijk.'
'Natuurlijk niet.' Ik vroeg me af wat ík zou doen als ik geslagen werd.
'Nou ik je toch zie,' zei Harry. 'Waarom ga je woensdag niet een keer mee met een uitwedstrijd? Dat is echt kicken.'
'Dat kost allemaal maar weer geld,' zei ik.
'Woensdag gaan we naar Parthenon.' Harry stak een sigaret op.

'Voor de beker. Makkie, jongen. Eerste divisie. En die supporters zijn zo zwaar achterlijk. Daar hadden we een paar jaar geleden altijd ruzie mee. Dus dat wordt een lekker heet avondje.'
'Tja, ik weet niet...' zei ik.
'Gewoon je spaarpot ondersteboven houden,' zei Harry. 'Wat kan jou dat geld nou schelen?'

Het geld kon me niets schelen. Mijn ouders dachten daar natuurlijk anders over.
'Ik vind het niet goed,' zei mijn vader 's avonds.
'Maar het is mijn eigen geld,' zei ik. 'En ik weet nu al het meeste huiswerk voor donderdag, dus ik kan vooruitwerken.'
'En als het nou vechten wordt?' zei mijn moeder.
'Het wordt geen vechten,' zei ik. 'En áls het vechten wordt, doe ik daar niet aan mee.'
'Wie gaan er nog meer?' wilde mijn moeder weten.
'Harry in ieder geval,' zei ik. 'Johnny niet. Hij moet trainen.' Johnny moest drie keer in de week trainen. Wel jammer. Met Johnny erbij was het leuker.
'Dana ook?'
'Nee,' zei ik. 'Dat denk ik niet.' Bij het horen van de naam Dana kreeg ik een onrustig gevoel. Heel anders dan daarvoor. 'Dana gaat normaal nooit. Alleen laatst een keer.'
Mijn vader zei al niets meer. Zo ging het altijd. Hij zei wat hij ervan vond, maar liet me in de meeste gevallen schouderophalend mijn gang gaan. Afgezien van mijn schoolwerk dan. Aan de ene kant was dat wel makkelijk natuurlijk, maar soms had ik de vreemde wens dat hij maar weer eens gewoon kwaad werd. Dat hij liet zien dat het hem echt iets kon schelen.
Er reden twaalf bussen naar de wedstrijd tegen Parthenon. Behalve Harry was Remco er ook – gelukkig. Met hem kon ik, afgezien van Johnny, nog het best overweg. Barend was er met zijn zwijgzame maat, en Kaalmans en Petmans. In de bus hing er op de heenreis een vreemde sfeer. Harry was onrustiger dan anders. Hij praatte veel en bewoog voortdurend met zijn handen. Soms zat hij strak uit

het raam te staren en er was iets vreemds met zijn ogen. Eerst had ik niet in de gaten wat het was, maar opeens viel me op dat zijn pupillen groot waren, groter dan normaal. Ik zag voortdurend zijn kaakspieren bewegen, alsof hij kauwgom kauwde. Maar misschien deed hij dat ook wel. Hij sloeg me op mijn schouder en zei: 'Dit is pas echt, jongen. We gaan naar de vijand, naar het hol van de leeuw.'

'Vijand?' vroeg ik.

'Ach, jongen. Altijd gedonder met dat klote Parthenon. Sinds ze daar een keer met meer dan honderd man vijf jongens van ons in elkaar geslagen hebben, hè, Karel?' Hij draaide zich half om naar Petmans, die achter ons zat.

Karel knikte en leunde naar voren. Hij haalde een wit plastic doosje uit zijn zak en deed het deksel eraf. 'Snoepen?' vroeg hij aan mij.

Ik keek. 'Wat is dat?' vroeg ik. Er zaten witte pilletjes in het doosje.

'Snoepjes,' zei hij. Hij lachte.

Ik keek opzij naar Harry, maar die keek weer naar buiten, hevig kauwend. Even aarzelde ik, maar toen schudde ik mijn hoofd. 'Nee, bedankt,' zei ik. Die pilletjes waren niet in de haak, ik voelde het gewoon. Toch lachte ik naar Petmans. Hij had het me toch maar aangeboden. Ik voelde me geaccepteerd. Petmans ging weer achteroverzitten. Harry keek me aan.

'Heel verstandig,' zei hij zacht. 'Nog niet aan beginnen.' En weer viel me op hoe groot zijn pupillen waren.

We bereikten de stad. De winkels waren gesloten, maar er waren nog aardig wat mensen op straat. Het was anders dan naar het eigen stadion gaan. Het leek of iedere voorbijganger naar de bussen keek en wist wie we waren. Ik deed mee aan een invasie. Ik was ook de vijand. Maar mij kon niets gebeuren: ik zat in de bus en was niet alleen. Op straat reageerde bijna niemand. Eén keer zag ik iemand zijn middelvinger opsteken. Hij zal op weg zijn geweest naar het stadion.

We reden het drukke deel van de stad weer uit en kwamen op een groot terrein. Er stonden een paar grote loodsen. De open plek waar de bussen stopten, was fel verlicht door schijnwerpers. Er

stonden ME'ers. Een enkele had een grote herdershond bij zich. De mannen droegen witte helmen en grote, plastic schilden. Verderop zaten er een paar op paarden. Zo had ik het bij Robur nog niet meegemaakt. Wij zaten in de derde bus. Ik zag hoe bij de eerste bus iedereen moest uitstappen. Een voor een werden ze gefouilleerd door mannen met gele jacks aan. De politiemannen deden daar niet aan mee. Ze keken alleen maar toe. Toen de bus leeg was, stapte iedereen in een lege bus, die daar al stond te wachten. De andere bussen reden allemaal een klein stukje verder en toen moest iedereen uit bus twee uitstappen. Ook zij werden gefouilleerd en stapten toen in bus één, die inmiddels door twee politiemannen was doorzocht. Op die manier kwamen alle supporters en alle bussen aan de beurt.
Toen ik uitstapte, voelde ik me weerloos en onbeschermd in het licht van de schijnwerpers. Ik moest denken aan een film die ik had gezien, over een concentratiekamp in de oorlog. Ik was niet de enige.
'Het lijkt verdomme Auschwitz wel,' hoorde ik Barend achter me zeggen. 'Wat denken die gasten eigenlijk dat we komen doen? De stad veroveren of zo?'
'Doorlopen,' zei een man in een geel jack. Er kwam een man naar me toe en ik moest mijn armen omhoogdoen en mijn benen uit elkaar. Hij voelde langs mijn lichaam of ik iets bij me had. Bij Robur werden we ook wel eens gefouilleerd, maar hier was de sfeer onwerkelijk en je zou bijna vergeten dat we naar een voetbalwedstrijd gingen kijken.
We stapten in de klaarstaande, lege bus. De sfeer was gespannen. Buiten stonden de ME'ers onaangedaan en onwrikbaar in het licht van de schijnwerpers. Het leek wel oorlog. Ik was blij dat mijn ouders dit niet zagen. Het was een stuk stiller in de bus en ik hoorde om me heen gedempt gepraat. Totdat iemand achterin begon te zingen: '*We are red, we are white! We are Robur-dynamite!*' Een paar seconden later deed iedereen mee. Het schalde over het grote plein en het werd in de andere bussen overgenomen. We bonkten ritmisch tegen de ramen, we daagden de rij politiemannen uit. Maar die be-

wogen nauwelijks en ze bleven staan waar ze stonden. De honden rukten aan hun riem en blaften.
Ik voelde me oppermachtig. Wát ME! Ons maakten ze niet bang. We bleven zingen, brullen zeg maar, ook toen de bus langzaam verder reed.

'Vette pech, hè?'

We stopten voor de ingang van de uittribune. Ook daar weer ME, en op een afstand een grote groep supporters van Parthenon. Scheldwoorden en spreekkoren vlogen over en weer.
'*Robúúúr! Kloteboeren!*'
'*Parthenon moet dood, olé olé!*'
'*Say oe, ah, Parthenon! Say oe, ah, Parthenon!*'
'*Red White Army!*'
En elke keer met uitgestrekte rechterarm en uitgestoken wijsvinger. Ik deed uit volle borst mee. We werden als gevaarlijke vijand ontvangen en dat zouden ze merken ook.
We gingen de poort binnen en kwamen in het stadion. Het uitvak was midden achter het doel. Links en rechts was er een vak leeggehouden. De harde kern van Parthenon zat op de lange tribune. We werden met hatelijk gefluit ontvangen, maar we schreeuwden onveranderd door. '*Robur! Red White Army! Iedereen is een boer, behalve wij!*'
Het ging zo'n vijf minuten door, maar uiteindelijk word je daar toch moe van. Langzaam zwakte het geluid af en het werd rustig. Ik had het zweet op mijn rug staan van opwinding en inspanning. Er stond een hek rondom ons vak, met scherpe, ijzeren punten bovenop. Tussen het veld en de tribune was een gracht van drie meter breed en drie meter diep. Het veld werd verlicht door de vier lichtmasten en op het veld waren de spelers aan het warmlopen. Daar gebeurde gewoon elke keer hetzelfde. Voor de voetballers waren de tribunes achtergrond met lawaai, net als altijd.
We waren optimistisch. Parthenon was ooit een gevaarlijke tegenstander geweest, maar de club was nogal afgezakt en speelde ergens onder in de eerste divisie. En Robur wilde ook in de bekercompetitie zo lang mogelijk mee blijven doen. Ook de bekerwinnaar zou Europees voetbal gaan spelen.

Robur was veel sterker. De rood-gele shirts van Parthenon waren vooral op hun eigen helft te vinden. Na twintig minuten was het 1-0 door Rommy van Bemmel. Snoeihard, boven in de hoek. *O, wat zijn die gelen stil!*
Parthenon kon niets anders doen dan verdedigen, soms op een keiharde manier. Bertje van Keulen werd na een halfuur gewisseld en Bernardo Sital op rechts moest zich regelmatig door hoog op te springen het vege lijf redden.
De penalty kon niet uitblijven. Toen Miroslav Bajic voor de zoveelste keer onderuitgehaald werd, stond hij net binnen de zestien. De scheidsrechter wees naar de stip, het kon niet missen. Seth Poolland legde de bal goed en nam zijn aanloop.
'Dat wordt 2-0,' zei Remco, maar opeens riep Harry: 'Kijk nou, daar komen ze!' Hij wees naar de tribune, schuin aan de overkant. Parthenon-supporters klommen over het hek en sprongen over de gracht, die bij de lange tribune een stuk smaller was dan voor het uitvak. In een mum van tijd stormden er tientallen het veld op. De scheidsrechter floot en Seth Poolland wilde de penalty nemen. Maar geschreeuw achter hem deed hem omkijken. Hij dacht geen seconde na en sprintte naar de spelerstunnel. En terwijl de spelers van Parthenon probeerden om de supporters tegen te houden, maakten die van Robur dat ze wegkwamen. Met open mond keek ik toe. Er was nu al zeker honderd man op het veld. Van opzij kwamen ME'ers tevoorschijn, met knuppels en honden. De Parthenonsupporters renden bij hen vandaan, in de richting van onze tribune.
'Ernaartoe!' schreeuwde Harry. Maar de gracht vóór ons was een stuk breder. We konden er niet over. Sommige Parthenon-supporters bleken stenen of stukken ijzer bij zich te hebben. Het stadion werd gerenoveerd en er lag genoeg. Waarom waren zij niet gefouilleerd?
'Naar boven!' riep Remco. Ik draaide me om en probeerde hoger op de tribune te komen. Maar ik was niet de enige en kon niet wegkomen. Achter me klonken kreten van woede en vanaf het veld vlogen stenen de tribune in. Er was geknal van vuurwerk. Op een gegeven moment kon ik niet verder. Vlak naast me kreeg iemand een ijzeren

staaf tegen zijn schouder en even verderop ontplofte een rotje midden tussen ons in.
'Teruggooien die zooi!' schreeuwde iemand. Hij pakte het stuk ijzer en gooide het op het veld. Ook stenen vlogen weer de andere kant op. Iemand rukte een kuipstoeltje van de balk en gooide het over de gracht. Even later vlogen de stoeltjes met tientallen door de lucht. Ik was bang en razend tegelijk. Een van de stoeltjes die weer teruggegooid werden, viel voor mijn voeten. Ik pakte het op en slingerde het over het hek. Ik zag hoe het iemand in de rug raakte. Ik keek om me heen om te zien of er nog meer te gooien viel. Er lagen een paar losse brokken steen. Ik pakte ze op en gooide ze op het veld, midden in de groep die daar stond. Ik kon niet zien of er iemand geraakt werd. Ik bleef gooien. Ik liet me niet doodgooien door een stelletje Parthenon-supporters. Dana kon de pot op. Ik zag opeens het beeld weer voor me van die twee op de fiets, handen vast. Viel ze op stoer? Ik zou eens laten zien hoe stoer ik was. Ik pakte een ijzeren staaf en wilde gooien. Maar de ME was inmiddels in onze hoek van het veld aangekomen. Met knuppels werden de Parthenon-supporters uit elkaar gejaagd en achtervolgd door agenten met honden vluchtten ze weer terug naar hun eigen tribune. Een stuk of tien jongens werden opgepakt. Onder gejoel en gefluit van de Roburtribune werden ze afgevoerd. Twee minuten later was het veld leeg. De scheidsrechter had iedereen naar de kleedkamer gestuurd en daar bleven ze, tot het rustig was.
Ik ging weer naar beneden en zag Harry staan. Hij zag er opgefokt uit en zijn ogen schoten van links naar rechts.
'Stelletje tyfuslijers,' zei hij. 'Ik wou dat ik bij ze had kunnen komen.'
Ik was blij dat dat niet het geval was geweest. En ik was blij dat ze niet bij óns hadden kunnen komen.
'Ik heb er een in zijn rug geraakt,' zei ik. 'Met een stoeltje.'
'Vuile tyfuslijers,' zei Harry nog een keer. Het leek of hij me helemaal niet gehoord had.
Langzaam keerde de rust terug. Vijftien minuten later kwamen ook de spelers weer het veld op. Seth Poolland ging voor de tweede keer

achter de bal en nam de penalty. Hij scoorde beheerst, alsof er helemaal niets gebeurd was.
De rest van de wedstrijd leek het wel of iedereen en alles op adem moest komen. Er gebeurde niets meer. De spelers maakten de wedstrijd plichtmatig af. Miroslav Bajic scoorde nog een keer met een afstandsschot, maar het maakte heel wat minder los dan de eerste twee doelpunten. Langs het veld lagen de bijeengeraapte stoeltjes, en dat was het enige bewijs van wat er voor de rust gebeurd was. Harry hield zich ook rustig, hoewel zijn ogen nog steeds van links naar rechts schoten en onnatuurlijk groot waren.
Toen de wedstrijd was afgelopen, moesten we wachten tot de rest van het stadion leeg was. En daarna werden we buiten het stadion nog eens opgesloten in een soort sluis van gazen hekken. Niemand snapte waarom, want de bussen stonden op een rij te wachten. Aan de andere kant van de kooi zag ik drie ME'ers op paarden boven iedereen uitsteken. De sfeer was landerig en bijna niemand zei iets. Maar toen wees Petmans, die net achter ons stond, opeens op een rij struiken, ongeveer vijftig meter van de kooi af. Het was donker en daardoor moeilijk te zien, maar er was beweging van schimmen.
'Daar zitten ze,' zei hij.
'Wie?' vroeg Harry gretig. 'ME?'
'Nee man, Parthenon. Moet je kijken.' De struiken bewogen, maar er kwam niemand tevoorschijn. Harry drong naar het hek toe en pakte het met twee handen vast.
'Hé, jongens!' riep hij. 'Vette pech, hè? Met zo'n lullig klote-elftalletje. Uitgeschakeld, hè? Eerste divisie, hè? Wat een vertoning, man!'
Er vloog een steen tegen het hek, vlak naast zijn hoofd. Vanuit de kooi steeg gebrul op. Ik zag opeens hoe hulpeloos opgesloten we zaten. Nog meer stenen vlogen door de lucht. Sommige kwamen over het hek en raakten mensen in de opeengepakte groep. Een stel jongens begon aan de hekken te rukken, maar die stonden behoorlijk stevig.
Als bij toverslag verscheen een peloton ME'ers, die op de struiken afstormden. De bosbewoners stormden alle kanten op, achtervolgd door zwaaiende knuppels.

'Bosjesmannen!' schreeuwden we vanuit de kooi. En we zongen:

'Rèèènnen in je eigen stad!
Rèèènnen in je eigen stad!
Rennen in je eigen stad,
La, lá la la la la!'

Harry rukte aan het hek. 'Kom op!' riep hij. 'Het hek moet om.' Anderen bij hem in de buurt deden mee. Ik ook. Ik stond vlak naast hem. Stenen gooien? Ik liet me niet bekogelen. Ik liet me niet meer slaan ook, nam ik me in een flits voor. Door niemand. Het hek zwiepte heen en weer en kraakte. Vanuit een ooghoek zag ik dat de ME-paarden in onze richting opdrongen. Maar de sluis was te vol en ze kwamen er niet bij. Niet voor het hek omging in ieder geval. Het viel met een klap op de grond en als een golf stroomden we eruit.

'Achter ze aan!' Harry zwaaide met zijn arm als een officier in de oorlog, die voorging in de strijd. We stormden naar de Parthenon-supporters toe, die nog steeds door ME'ers achternagezeten werden. Ik was in de voorste gelederen en schreeuwde met de anderen mee. Er lagen stukken steen op de grond. Ik pakte een brok op en smeet het voor me uit. Het kwam in de verste verte niet bij Parthenon in de buurt, maar het zweepte me op. Toch was het ook net of het niet echt was, of ik naar een film keek waarin ik zelf meespeelde.

Voor me uit draaiden de Parthenon-supporters zich om en wachtten ons op. We hielden de pas in. En zo stonden we als twee legers tegenover elkaar. Een rij ME'ers ertussen. Hijgend stond ik stil, een steen in mijn hand. Het zou vechten worden, maar ik zou niet teruggaan naar achteren. In een flits zag ik mijn vader voor me. *Als ik merk dat jij aan die vechterijen meedoet, is het afgelopen.* Mijn vader snapte er niets van. Mijn familie was hier, naast me en achter me. We waren aangevallen en we verdedigden ons. Ik voelde aan mijn wang, alsof de afdruk van zijn hand er nog op zat. We wachtten af en het werd stiller. De ME'ers splitsten zich. Eén groep draaide zich naar onze kant. De andere helft hield Parthenon in het oog. Verder deden ook zij even niets.

Ik ben gek op stoer. Dana. Ik maakte me breder dan ik was. Het stuk

steen lag losjes in mijn hand. Ze fietste voor me uit, hand in hand met een ander. De woede kroop in me omhoog.
Iemand gooide de eerste steen. Iemand van Robur. Parthenon was begonnen, dus het vervolg was van ons. Stenen vlogen terug. Een groep ME'ers kwam onze kant op. Het waren er te weinig en we glipten ertussendoor. Van de andere kant kwam Parthenon opzetten. In een oogwenk waren we bij elkaar. Iemand greep me vast, maar ik sloeg van me af en rukte me los.
Ik schopte naar een ander die in de buurt kwam. Maar toen er drie tegelijk op me afkwamen, rende ik weg, naar de zijkant van het slagveld. Overal zag ik heen en weer rennende schimmen in het donker. Met of zonder witte helm. Geschreeuw voor me en achter me. Ik stond stil bij een laag gebouwtje. Ik ging er met mijn rug tegenaan staan en keek om me heen, een stuk steen in mijn hand. Toen keek ik recht in het gezicht van iemand vlak naast me. Ik zag een rood met gele sjaal en een rood jack. Ik zette me schrap om... Om te vechten? Weg te lopen? Ik zou het niet meer weten. Het was een jong gastje, jonger dan ik. Hij deed niets, keek alleen maar naar me. Hij was doodsbang, zag ik opeens. Hij was in de oorlog terechtgekomen, zonder dat hij enig idee had wat er allemaal gebeurde. Ik keek hem strak aan, gooide de steen een paar keer omhoog en ving hem weer op. Het jongetje was misschien niet ouder dan een jaar of tien, elf. Ik was veel groter en sterker dan hij. Het zou een gemakkelijke, persoonlijke overwinning worden. Maar ik liet de steen vallen. Wat stond ik nou helemaal te doen? Zo'n jochie dat nog op de basisschool zat. Hoe kwam die hier nou terecht? Hij hoorde hier helemaal niet. Hij zou thuis moeten zitten, een computerspelletje doen of zoiets. Ik schudde mijn hoofd en hij schuifelde van me weg, achteruit, terwijl hij me nauwlettend in het oog hield. Maar ik deed niets. Ik voelde me ineens moe. Had ik toch bijna een gastje van tien jaar in elkaar getremd. Eentje die hier woonde en gewoon naar zijn club was wezen kijken, misschien wel met zijn grote broer. Ik schudde nog een keer mijn hoofd. Hoorde ik hier zelf eigenlijk wel?
Het jongetje verdween om de hoek van het gebouwtje. Om me heen

luwde de strijd. De twee groepen supporters waren weer uit elkaar gejaagd. Een meter of tien verderop zag ik Kaalmans lopen en ik ging naar hem toe. Harry was ook in de buurt. We werden door de ME teruggedreven in de richting van de bussen. Het was voorbij.

Op de terugweg door de stad was het nog even spannend toen er een paar auto's met knipperende lichten achter ons aan reden. Maar er was geen eer te behalen en ze bleven achter.
Zegevierend kwamen we terug van de veldslag. *In het bos, in het bos, lopen bosjesmannen los, la la la laa la la laa la la!*
Het vuur in Harry's ogen was gedoofd en hij viel onderweg in slaap. Ik keek naar buiten, het donker in, en ik kon bijna niet geloven dat het allemaal echt gebeurd was. Dat ik meegedaan had, meegegooid en meegevochten. Het laatste restje opwinding was weggeëbd en ik voelde me helemaal leeg toen we weer bijna terug waren.
'Je gaat er thuis toch niet over vertellen, hè?' zei ik tegen Harry. 'Dat we gevochten hebben en zo. Als mijn vader het hoort, ben ik erbij.'
'Nee, eh... nee, natuurlijk niet.' Harry keek me slaperig aan. Ik dacht opeens aan zijn moeder en schoot bijna in de lach. Daar zaten we dan: twee oorlogshelden, allebei benauwd voor hun vader of moeder. Ergens op de achtergrond zweefde Dana rond. Dit was waarschijnlijk niet het soort stoer geweest wat ze toen bedoeld had.
Thuis stak ik alleen even mijn hoofd om de hoek van de deur om welterusten te zeggen en ik ging meteen door naar boven. Ik liet me op mijn bed vallen en liet de oorlog nog een keer langskomen. Ik had me trots gevoeld toen we optrokken tegen de vijand, maar dat gevoel was weg. De roes was uitgewerkt en het laatste wat ik zag voor ik in slaap viel, waren de doodsbange ogen van het jongetje dat naast me was opgedoken.

'Een spelletje spelen.'

Dana haalde me in toen ik de volgende morgen naar school fietste.
'Dus je hebt met stoeltjes gegooid,' zei ze.
'Wie zegt dat?' vroeg ik.
'Harry. Ik heb hem ernaar gevraagd. Het was in het sportjournaal gisteravond.'
'Eén stoeltje,' zei ik, nogal slap. Dus Harry had zijn mond niet kunnen houden. Maar ze had het alleen over een stoeltje. Misschien had hij de rest niet verteld.
'Stom,' zei ze.
'Ja, hallo,' verdedigde ik mezelf. 'Als ze stenen naar je gooien en vuurwerk, moet je dan niks terugdoen?'
'Ik vind het zó achterlijk,' zei ze. 'Het was laatst best gaaf in het stadion, maar jullie verpesten alles op die manier.'
Ik dacht terug aan de hitte van het gevecht. Aan de opwinding die ik gevoeld had. Er was niets van over.
'Ik dacht dat jullie voetballiefhebbers waren,' zei ze.
'Moeten zij maar niet beginnen, en...' Ik zweeg ongelukkig en wilde geen ruzie met haar maken. Ik wilde haar vasthouden, haar lippen voelen.
'Mag ik wat vragen?' zei ik.
'Ja.' Een beetje kortaf, verbeeldde ik me. Maar toen ik opzij keek, keek ze vriendelijk terug.
'Ik zie je zo weinig,' zei ik. 'Hebben we nou verkering of niet?' Het was er zomaar uit. Ik had niet gedacht dat ik dat aan haar zou durven vragen.
Er gebeurde iets ergs. Ze lachte. Nee, ze lachte me niet uit. Maar het was ook niet dat speciale lachje waar ik soms tijden van wakker lag. Ze lachte vrolijk, alsof ik iets heel grappigs had gezegd.

'Martentje, Martentje,' zei ze, vriendelijk maar bestraffend. Een tikje neerbuigend.
'Stop.' Ik remde en stapte af. Ze stopte een paar meter verder en keek achterom. Ik stepte naar haar toe en keek haar aan. 'Was jij dat?' vroeg ik. 'Laatst op de fiets, met die jongen?'
Ze fronste haar wenkbrauwen. 'Wanneer dan?' vroeg ze.
'Op een zaterdag, vlak bij huis. Jullie reden hand in hand.'
'O, bedoel je dat?' zei ze. Ze zweeg even en kauwde op haar wang. 'Ja, dat was ik.'
'En wie was die jongen?'
'Zeg.' Ze raakte geïrriteerd. 'Ben je bij de politie of zo?'
Ik werd zenuwachtig. 'Ik begrijp het niet,' zei ik.
Ze haalde diep adem. 'Oké,' zei ze. 'Sorry, ik wil niet kwaad op je worden. Die jongen zit op school, in vijf vwo. Hij heet Christiaan.'
'Is het je vriend?'
'Het is een vriend van me, ja. Een heel goeie vriend.'
'Hebben jullie gezoend?'
'Luister.' Ze ging wat meer rechtop zitten. 'Ik vind je een lieve jongen, maar je loopt nu wel erg hard van stapel. Ik wilde gewoon...'
'Een spelletje spelen,' zei ik.
Ze zuchtte. 'Ik bedoel dat je je niets in je hoofd moet halen.'
Ik zag weer voor me hoe we samen op de dakkapel zaten, en in haar kamer waren. Ik zag haar ogen, ik voelde haar huid, ik zag hoe ze haar T-shirt uittrok. Ik moest me niets in mijn hoofd halen. Ik zei niets.
'We moeten naar school,' zei ze. 'Anders komen we te laat.' Ze stapte op en reed verder. Ik kon niets anders doen dan haar achternagaan. We fietsten samen verder naar school en zeiden niets meer tegen elkaar. Ik was diepongelukkig.
Toen we bij school waren, lachte ze weer. 'Kom,' zei ze. 'Niet zo somber. Wat is er tegen spelen?'
Ze was twee jaar ouder dan ik, en ik voelde me een onnozel jongetje. Ze had een beetje met me gespeeld. Gewoon voor de lol. En ik had me gek laten maken, sukkel die ik was. Ik keek om me heen en zag Johnny in de verte met brede gebaren met een paar jongens pra-

ten. Maar toen keek hij mijn kant op en zag Dana en mij staan. Ik zag hoe hij ophield met praten.
'Daar is Johnny,' zei ik. 'Nou, dag.' Ik hield me zo groot mogelijk, hing mijn tas over één schouder en liep rechtop en flink naar de overkant van het plein.
'Zo, ouwe makker,' zei Johnny, die me tegemoet was gekomen. 'Stond je gezellig met je meisje te praten?' Maar hij zag waarschijnlijk dat er iets was. Ik probeerde te doen alsof er niets aan de hand was, maar het lukte me niet. Ik was van de kaart en voelde me vernederd.
Johnny keek van mij naar de andere kant van het plein. Dana was er niet meer. 'Ik zei het toch,' zei hij.
'Ja, jij weet altijd alles beter,' zei ik kwaad. 'Ben je nou blij?'
'Nee,' zei Johnny. 'Ik ben niet blij. Waarom zou ik blij zijn?'
Ik zei niets.
'Je wou alleen niet luisteren.' Hij gaf me een zetje met zijn schouder. 'Ik hoorde wel eens wat van andere jongens. Ze is niet slecht of zo, ze is alleen gek op jongens. Ze verslijt ze bij bosjes.'
'Mij zal ze niet verslijten,' zei ik stoer.
'Goeie bal.' Hij lachte. 'Er zijn andere dingen te doen. Een wiskunderep, bijvoorbeeld. Ik mag bij je afkijken, oké?'
'Oké,' zei ik met een diepe zucht.
Hij lachte weer. 'Och, och,' zei hij. 'Wat is er soms een leed in de wereld.'
Die Johnny toch.

De rest van de dag deed ik maar zo'n beetje mee. Ik gaf Johnny de oplossingen van de wiskunderepetitie. Wiskunde was zo'n beetje het enige waarin ik beter was dan hij. Hij vroeg nog naar de wedstrijd tegen Parthenon, en de vechtpartij. Maar ik gaf een paar ontwijkende antwoorden. Dat ik het vanuit de verte had gezien en zo. Meer niet. In de pauze en tussen de lessen door hoopte ik dat ik Dana zou tegenkomen. Ik zou zonder op haar te letten langs haar heen lopen. Het deed me niets en mij zou ze niet klein krijgen. Maar ik zag haar de hele dag niet. Ik fietste in mijn eentje naar huis en voelde me heel neerslachtig.

Toen ik thuiskwam, hoorde ik harde stemmen. Mijn vader was er, veel te vroeg. Mijn ouders hadden ruzie. Dat kon er nog net bij. Nou, mij niet gezien. Ik ging de kamer niet in en liep zachtjes de trap op. In mijn eigen kamer was ik tenminste de baas en had ik niets met anderen te maken.
Ik probeerde me te concentreren op mijn huiswerk, maar het lukte slecht. Of ik wilde of niet, ik moest steeds aan Dana denken. Was ik maar ergens heel goed in. Kon ik maar iets laten zien waardoor ze heel veel spijt zou krijgen dat ze me zo behandeld had. Was ik maar in iets veel beter dan die Christiaan van haar. Die uitsloverige vwo'er.
Beneden klonken de stemmen weer, die van mijn vader vooral. Het ging over geld, zo te horen. Als mijn ouders ruzie hadden, ging het negen van de tien keer over geld. Geld was heel belangrijk. Vandaar dat ze ook altijd opmerkingen maakten over dat van mij.
Ik keek naar buiten. Het was druilerig weer. Het paste precies bij mijn stemming. Ik leunde over de vensterbank en keek naar de dakkapel naast me. De ramen bleven dicht. Het gevoel van die ochtend kwam in alle hevigheid weer opzetten, zó erg dat het zweet me uitbrak. Had ik gewoon om verkering staan vragen en ze had alleen maar gelachen. Haar schouders opgehaald waarschijnlijk, toen ze alleen was. Ik pakte mijn oude trainingsbroek uit de kast, een witte sweater en mijn hardloopschoenen. Mijn kamer werd me te benauwd. Ik moest iets gaan doen.

Ik begon veel sneller dan anders, omdat ik steeds kwader werd. Mij een beetje aan het lijntje houden en intussen met een ander hand in hand op de fiets! Ik zou haar wel eens wat laten zien.
Vanaf het begin liep ik in de kopgroep, constant op de derde of vierde plaats. Twee Kenianen, een Duitser, een Japanner en ik. Ik wilde in ieder geval de eerste Europeaan worden. Kenianen waren moeilijk te verslaan en van Japanners wist je het nooit.
Ik liep hard. Te hard waarschijnlijk, maar ik merkte er niets van. Het was alsof een kracht van buiten me vooruitsleurde. Ik voelde mijn spieren niet, ik merkte niets van een moeilijke ademhaling.

Mijn woede werd alleen maar groter. Niemand zou mij verdomme als een vuilnisbak op de stoep zetten. Niemand. Ik nam een scherpe bocht en ontweek ternauwernood een fietser. Ik hoorde scheldwoorden achter me. Ik versnelde. Dana van Walsteeg, klérewijf!
De wedstrijd werd op televisie uitgezonden. Er reed een motor mee en op elke hoek stond een vaste camera. Elke meter was te zien.
Dana was bij Christiaan thuis. Ze zaten op de bank en keken naar de wedstrijd, verbazing in hun ogen. Dat hadden ze niet gedacht, dat ik zo snel was.
De Duitser begon het moeilijk te krijgen. Hij verbeet zijn vermoeidheid en kon nog net aanhaken. Ik bleef in het spoor van de Japanner. De Kenianen liepen naast elkaar op kop. Het tempo ging omhoog. Nog ongeveer twee kilometer.
Het begon te regenen, maar ik voelde het niet. Ik kon uren en uren achter elkaar doorlopen en zou niet moe worden. De pijn zat niet in mijn benen of in mijn ademhaling. De pijn zat ergens anders, diep in me. Ik keek strak naar de volgende hoek, die snel dichterbij kwam. En daarna nog een hoek. Dat zou ik voorlopig blijven doen: van hoek naar hoek rennen, zonder de finish te zien. Ik was nog nooit echt verliefd geweest en nu was alles stuk voor het begonnen was. Een paar zoenen en een hand op haar huid, op haar borst. En daarna aan de kant gezet. Ik haatte haar en hield van haar. Het brandde in mijn lijf.
Dana keek naar de televisie en zag hoe de Duitser uiteindelijk moest afhaken. De Japanner schoof op naar voren en ik volgde hem. Tot mijn verbazing zag ik dat de Kenianen allebei moe werden. Ik had nooit gedacht dat dat zou gebeuren. Kenianen werden nooit moe. We begonnen aan de laatste kilometer. Niemand hield serieus rekening met mijn kansen. Dana ging op het puntje van de bank zitten en zette het geluid harder. De lucht brandde in mijn longen en mijn keel was zo droog als woestijnzand. Langzamerhand werden mijn benen moe, maar ik gaf niet toe. Ik gebruikte al mijn reserves voor het laatste rechte stuk. De vermoeidheid voelde goed en het zo snel mogelijk lopen van de laatste paar honderd meter was mijn levensdoel geworden. Alleen, wat moest ik daarna doen? De Kenianen haakten een

voor een af en ik liet ze achter me. Maar de Japanner kon ik niet meer inhalen. Ondanks een uiterste poging in een felle eindsprint bleef ik een paar meter achter hem. Ik eindigde als tweede. Je kunt niet alles hebben. Dana liet zich met een zucht achteroverzakken en keek opzij. Christiaan hing als een baal meel onderuitgezakt op de bank. Helemaal geen sportjongen, die Christiaan.
Het regende inmiddels harder en het begon donker te worden. Hijgend stond ik stil en keek de lege straat in. Niemand te zien. Ik leunde tegen een boom en was totaal leeg. Ik voelde de regen nauwelijks en wilde niet naar huis. Thuis was te gewoon. Ik wilde buiten blijven. Me nat laten regenen. Schreeuwen. Droevig zijn.

Mijn moeder stond te huilen in de keuken. Ik was teruggegaan toen ik het te koud begon te krijgen. Ze stond bij het aanrecht en veegde doelloos wat met een vaatdoek heen en weer. Ik zag een druppel op haar hand vallen.
'Wat is er?' vroeg ik.
Ze veegde met de rug van haar hand over haar ogen en zei dat er niets bijzonders was. Zo ging het altijd. Je mocht vooral niet aan anderen laten merken dat je boos was of verdrietig of ziek.
'Waar is pa?' vroeg ik. Ze haalde haar schouders op. Ik deed de kamerdeur open. Zijn stoel was leeg. 'Boven?' vroeg ik. Ze schudde haar hoofd. Ze stond daar bij het aanrecht en deed niets meer. Ik wilde mijn hand op haar schouder leggen. Maar dat waren we thuis niet gewend, elkaar aanraken. Ik stond achter haar en wist niet wat ik moest doen.
'Je vader is weg, naar buiten,' zei ze ten slotte. 'Hij is de deur uit gelopen, kwaad en helemaal in de war.'
Ik vroeg waar hij heen was, maar ze wist het niet. 'Misschien bij de rivier,' zei ze. 'Ik ben bang.'
'Maar wat is er dan gebeurd?' vroeg ik. 'Waarover hadden jullie ruzie?'
Ze keek me geschrokken aan. 'Ruzie?' zei ze.
'Ja,' zei ik. 'Het was drie huizen verder te horen.' Ze kromp ineen, alsof dat nog het ergste was: dat iedereen het had kunnen horen.

‘Ach, nou ja.’ Ze haalde haar neus op. ‘Toen hij thuiskwam, was het al mis. Hij heeft altijd mot op zijn werk de laatste tijd. Hij is niet voor niets zo afwezig, al tijden.’
Dat was hij. Ik had het wel gezien, maar ik wist niet waar het aan lag. Mij vertelden ze dat soort dingen niet. Het kon net zo goed door mij komen, zonder dat ik het wist.
‘Dus het komt door zijn werk,’ zei ik. ‘Door meer niet?’
‘Daar zegt hij nooit iets over.’ Mijn moeder haalde heel even haar schouders op, maar ze leek op hetzelfde moment iets in elkaar te zakken. ‘Ik weet het niet.’
‘Het regent,’ zei ik.
‘Hij heeft niet eens een jas aan.’ Ze veegde haar hand af aan haar heup. ‘Straks wordt hij nog ziek.’
‘Ik ga wel zoeken,’ zei ik. ‘Even iets droogs aantrekken.’ Ik kleedde me om, pakte mijn regenjack en ging weer naar buiten. Het was inmiddels zo goed als donker.
Het regende niet echt heel hard, maar wel gestaag. Zo’n dichte regen die je in een ogenblik doorweekte. Ik trok mijn hoofd tussen mijn schouders en keek om me heen. De straat was net zo leeg als tevoren. Ik ging in de richting van de rivier. Ik dacht heel even niet aan Dana. Langs de rivier liep een voetpad waar bankjes stonden. Ik hoefde niet ver te lopen. Op het derde bankje zag ik iemand zitten. Een donkere, gebogen schaduw. Het was hem.
Zonder iets te zeggen, ging ik naast hem zitten. Hij zat met gebogen schouders naar het donkere water te kijken en was doornat. Ik had een paraplu mee moeten nemen. Ik had geen idee of hij in de gaten had dat ik naast hem zat en ik kuchte. Hij bewoog even met zijn hoofd. Op de rivier voer in het donker een duwbak voorbij. In het licht van een lamp in de stuurhut zag ik een man staan met het roer in zijn handen. Hij was alleen. Dat zou ik ook wel willen. Het roer in mijn handen en dan het donker in varen, ver weg.
Naast me hoorde ik iets wat op een snik leek. Ik keek opzij en zag dat mijn vader zijn ene hand voor zijn ogen hield. Zijn schouders schokten licht. Hij huilde. Het was me vreemd te moede. Allebei mijn ouders in tranen. Ik had mijn vader nog nooit zien huilen.

Ik wist niet eens dat hij het kon. Ik staarde in het donker en wist weer niet wat ik moest doen. We zaten daar maar. Ten slotte deed ik bij hem wat ik bij mijn moeder niet gedaan had: ik legde mijn hand op zijn schouder.
'U moet hier niet zo blijven zitten,' zei ik. 'U bent drijfnat.'
Hij stond niet op en het leek of hij de regen niet voelde. 'Het spijt me dat je me zo moet zien,' zei hij na een tijdje.
'Het geeft niet,' zei ik. Het gaf ook niet. Hij was dichterbij dan ooit, juist omdat hij opeens zo kwetsbaar was. 'Wilt u niet vertellen wat er is?' vroeg ik.
Hij haalde diep adem. 'Er is zoveel waar ik genoeg van heb,' zei hij. 'Alles is elke dag hetzelfde. Werk, thuis, alles gewoon. En op mijn werk kan ik geen kant meer op.'
'Komt het ook door mij?' vroeg ik.
'Hoe kom je daarbij?' Hij leek oprecht verbaasd. 'Ik... nee, echt niet. Haal je niets in je hoofd.'
'Nou, ik dacht... Over dat huiswerk en zo. En het voetballen...'
'O, dat...' Hij ging iets meer rechtop zitten. 'Dat was...' Hij stopte. 'Ik wilde dat niet meer doen,' zei hij toen. 'Ik... wilde dat niet.' Het was voor mij evenveel waard als wanneer hij tegen me had gezegd dat hij er spijt van had.
Ik keek naar de rivier. Er kwamen geen schepen meer voorbij. Alleen het water stroomde in het donker aan ons voorbij. En het regende...
'En ma...' zei ik. 'Ze stond te huilen in de keuken toen ik thuiskwam.'
Hij keek me aan. 'Waar was je dan geweest?'
'O, een eindje hardlopen,' zei ik. Ik vertelde maar niet van de Duitser, de Japanner en de Kenianen. Een andere keer misschien. In die paar minuten in de regen, op dat bankje, met voor ons de rivier, was er iets veranderd.
'Kom,' zei mijn vader. 'Laten we naar huis gaan. Ik moet iets goedmaken.' Mijn hand gleed van zijn schouder toen hij opstond. We liepen samen naar huis.
'Hardlopen?' zei hij. 'Doe je dat vaak?'

'Zo nu en dan,' zei ik.
'Helemaal alleen?'
'Ja.' Ik glimlachte in het donker toen ik aan mijn onzichtbare tegenstanders dacht.
'Misschien moet je lid worden van een club,' zei mijn vader. 'Dat is toch veel leuker.'
Veel leuker ook dan voetbalsupporter zijn, verwachtte ik hem te horen zeggen. Maar dat deed hij niet. Zelf voelde ik me opeens ongemakkelijk, toen ik aan Parthenon dacht. Ik was een grens overgegaan. Althans voor mijn vader. Aan mezelf kon ik het nog wel uitleggen, maar toch. Ik was een voetbalvandaal geworden. Of geweest, in ieder geval.
'Misschien wel,' zei ik. 'Ik zal wel eens kijken.'
We waren bij ons huis aangekomen. Mijn vader stond even stil in de tuin en keek naar het raam van de achterkamer. Mijn moeder zat aan tafel en rommelde wat in een stapel papieren. Hij rechtte zijn rug en ging naar binnen. Toen ze het geluid van de keukendeur hoorde, kwam mijn moeder de kamer uit. Ze keek naar mijn vader, die doornat stond uit te druipen op de deurmat. Ze ging naar hem toe en sloeg haar armen om hem heen. Zo stonden ze zwijgend in de deuropening. Ik stond buiten, omdat ik er niet langs kon. Ik kon me niet herinneren dat ik hen ooit zo had zien staan. Ze lieten zich nooit gaan. Het was een mooi gezicht. De regen bleef vallen en het water liep bij mijn kraag naar binnen. Mijn moeder zag me.
'Ach, sta je daar nog?' vroeg ze. 'Kom binnen, jongen.' Ze stapten opzij en ik kon erlangs.
'Nog maar weer iets droogs aantrekken,' zei ik. 'Kleren zat.'
Ik ging de trap op, vreemd gelukkig. Pas toen ik mijn kamer binnenstapte, dacht ik weer aan Dana. Zo leuk was het leven nou ook weer niet.

‘Na de wedstrijd!’

Als ik ooit al had gedacht dat Harry een vriend van me zou worden, vanwege dat jack bijvoorbeeld, dan had ik het mis. Om te beginnen zag ik hem bijna nooit, behalve bij de wedstrijden, en dan bemoeide hij zich nauwelijks met me. Even kort hallo en meer niet. Misschien was hij nog steeds kwaad omdat ik Dana meegenomen had naar het stadion. Ze was dan wel uit zichzelf meegegaan, maar dat wist hij niet. Niet van mij tenminste. Ik was ook nog een keer begonnen over het gevecht bij Parthenon, maar hij was er niet op ingegaan. Alleen één keer, toen ik hem bij huis tegenkwam, hield hij me even tegen.
‘Wat ik laatst zei,’ zei hij. ‘Van die pilletjes. In de bus, weet je nog?’
Ik knikte. Ik had wel zo’n idee wat voor soort pillen dat geweest waren. Ik hoorde wel eens wat over middelen die gebruikt werden op feesten en zo, maar ik wist er in feite niets van. Ik ging niet naar die feesten. Mijn ouders zouden me zien aankomen als ik erom zou vragen en ik had er ook niks mee.
‘Als iemand je nog eens zoiets voor je neus houdt, zeg dan nee,’ zei Harry.
‘Dat deed ik toch,’ zei ik.
‘Jawel,’ zei hij. ‘Maar zoiets kan natuurlijk weer gebeuren. Gewoon nee zeggen.’
‘Wat zijn het voor pillen?’ vroeg ik.
‘Laat maar zitten verder,’ zei hij. ‘Het is gewoon slecht spul.’
Ik herinnerde me hoe vreemd ik hem had zien doen. Zo opgefokt, met van die grote ogen.
‘Jij hebt ze zelf wél gehad, hè?’ zei ik. ‘Waarom eigenlijk?’
‘Gaat je niks aan,’ zei hij. ‘Ik waarschuw je alleen maar. Je bent er nog te klein voor.’
Dat vond ik nou weer stom klinken, maar ik zei er niets van. Dat

van die pillen, daar had hij waarschijnlijk wel gelijk in en ik vond het toch goed van hem dat hij me waarschuwde.
'Ik zal er afblijven,' zei ik. 'Bedankt.' Hij verdween in zijn tuin. Dus ik was er nog te klein voor. Volgens mij was het ook slecht voor je als je een stuk groter was, maar goed. Groot of klein, ik was niet van plan om eraan te beginnen. Ik wist zeker dat pillen slikken nog een behoorlijke stap verder was dan vechten of met stenen gooien.
Ik keek naar het raam van Dana's kamer. Het was dicht en er brandde ook geen licht. Ze was er niet. Soms leek het wel of ze er nooit geweest was. Ik zag haar zelden en ze was dan altijd snel verdwenen. Ze ontweek me, ik wist het zeker. Als speeltje was ik wel lollig, maar ik moest niet te moeilijk gaan doen. Er ging een pijnscheut door me heen. Ik schudde het van me af. Ze kon de beriberi krijgen. Maar dat meende ik niet echt. Ik verlangde er veel te veel naar haar weer aan te raken. Ik was verliefd, ik was alleen en behoorlijk zielig.

De laatste twee wedstrijden vóór de winterstop speelde Robur thuis. Het begon koud te worden op de tribune. Maar daar had ik geen last van. Het ging goed. Veel beter dan vorig jaar. Thuis verloor Robur helemaal niet. Eén wedstrijd was het zelfs 7-1. Miroslav Bajic scoorde vier keer en kon nooit meer stuk. In de rust – toen al 4-0 – polonaise op de tribune en twee dagen later nog steeds La Cucaracha.
De voorlaatste wedstrijd was op zaterdagavond. Avondwedstrijden waren anders. Als je bij het stadion kwam, waren je medesupporters schimmen. Het stadion zelf was een felverlichte rechthoek in een donkere omgeving. Binnen dat licht bevond zich waar alles om draaide. Wat er daarbuiten in het donker gebeurde was bijzaak.
We waren er allemaal, Johnny ook. Hij had die middag gevoetbald en gewonnen, al was hij zelf lelijk op zijn enkel geraakt. Hij liep moeilijk.
'Oorlogsverwonding,' zei hij. 'De vijand lag in een hinderlaag en viel me laf van achteren aan. De nederlaag was de straf.' Prachtig zei hij dat, als een zin uit een geschiedenisverhaal.
'Heb je hem teruggepakt?' vroeg Theo.

'Daar hou ik me niet mee bezig,' zei Johnny. 'Zo'n speler ben ik niet. Ik ben snel en maak acties.'
'En wanneer kom je nou in het eerste, kleine?' vroeg Harry. 'Het duurt wel lang.'
'Geduld,' zei Johnny. 'Er komt een dag dat je trots aan iedereen kunt vertellen dat je op de tribune nog naast me hebt gestaan.' Hij verblikte of verbloosde er niet onder.
Elke zin van dat gesprek staat in mijn geheugen gegrift. Woord voor woord. Dat gesprek op die donkere avond in december, vlak na sinterklaas. Toen de wedstrijd nog niet begonnen was. Toen alles nog rustig was. Gewoon, net als anders.

We speelden tegen Spero, een club uit het rechterrijtje. Dat mocht geen probleem zijn: Robur stond op dat moment vijfde. Iedereen was vol vertrouwen We zwaaiden naar de supporters van Spero en zongen. '*Spero gaat eraan, olé, olé!*' Barend wist zeker dat we als derde aan de winterstop zouden beginnen.
In het begin was er ook geen vuiltje aan de lucht. Na twaalf minuten stond het al 1-0. De hele verdediging van Spero stond bewonderend toe te kijken hoe Bernardo Sital vanaf de eigen helft naar de achterlijn slalomde en een strakke voorzet losliet. Vier man de lucht in, maar Miroslav Bajic erbovenuit. We hielden allemaal van hem.
Voor de rust gebeurde er verder niet zoveel. Spero kon niets terugdoen en Robur wachtte af. Barend zei nog dat hij er ongerust van werd, maar we lachten het weg. Ons kon niets gebeuren.
In de rust ging Harry de tribune af en ik zag Petmans en Kaalmans ook verdwijnen. Toen Harry terugkwam, stonk hij duidelijk naar sterke drank. Hij bonkte tegen de plexiglaswand tussen ons en Spero en riep: 'Mietjes, allemaal mietjes!' Van de andere kant kwam niets terug. Iemand wees met zijn vinger naar zijn voorhoofd en een enkeling lachte minachtend.
'Durven niks,' zei Harry, toen hij weer naar zijn plaats ging. 'Mietjes!' schreeuwde hij nog een keer.
Johnny was gaan zitten. Hij had last van zijn enkel. Met een pijnlijk gezicht wreef hij er met twee handen overheen.

'Gaat het?' vroeg ik. Hij knikte en zei dat hij straks heel rustig aan naar zijn fiets moest lopen. Zijn enkel werd dik.
'Dan doen we toch rustig aan,' zei ik. 'Tijd zat.'
Tijd zat, ik hoor het mezelf nog zeggen. Heel vreemd hoe ik bijna alles wat er voor en tijdens de wedstrijd gebeurde nog steeds haarscherp hoor en zie. Alsof die film elke keer weer afgedraaid wordt.
De spelers van Spero hadden in de rust waarschijnlijk flink op hun donder gehad, want ze gingen er veel agressiever tegenaan. Robur liet zich terugdringen en nam er zijn gemak van. Wat zou er kunnen gebeuren?
Een tegengoal van Spero, dát gebeurde er, zomaar uit het niets. Een laaiend schot van meer dan dertig meter, na een afgeslagen aanval. De keeper van Robur keek nog gewoon voor zich, terwijl de bal al achter hem in het doel lag. We waren meer verbaasd dan kwaad.
'Sodeju,' zei Barend. 'Zag je dat? Wie deed dat?' Het was stil in ons vak, maar aan de andere kant van het plexiglas was een feestje losgebarsten. Harry keek er chagrijnig naar.
'Kijk die kindjes,' zei hij. 'Straks piepen ze wel weer anders.'
Maar nee, als er al gepiept werd, was het bij ons. Niets lukte meer, en de druk van Spero werd steeds groter. Eén moment veerden we nog op, toen Bertje van Keulen vrij voor het doel kwam. Maar hij maaide half over de bal heen en het rollertje kon makkelijk opgeraapt worden.
'Man, man, mán!' schreeuwde Barend vertwijfeld. 'Die maakt mijn blinde buurjongetje nog!' En toen gebeurde ook nog het wonder dat zijn zwijgzame buurman begon te praten.
'De beste stuurlui staan aan wal,' zei hij. Op een toon of hij het spreekwoord zelf bedacht had.
'Hou toch op,' zei Barend. 'Er is nog één makkelijker manier om een goal te maken, en dat is dat de keeper de bal oppakt en hem zelf achter zijn eigen doellijn neerlegt. Hou nou toch op met je stuurlui.'
Er werd alweer gelachen. Alles zou nog wel goed komen. Maar Spero scoorde weer, en nog eens, en toen was het hek van de dam.
De scheidsrechter had het gedaan – *hoerenjong!* –, de trainer had het

gedaan – *lozen!* –, de tegenpartij – *kankerboeren!* –, en de supporters van Spero – *Na de wedstrijd!* – hadden het natuurlijk gedaan.
Vooral dat laatste. *Na de wedstrijd! Na de wedstrijd!* daverde het over de tribune. We keken nauwelijks meer naar het veld, maar richtten onze woede op het vak naast ons. Dáár was de vijand, en nergens anders.
Het werd ten slotte 4-1 voor Spero. Door een penalty die natuurlijk onterecht was. De scheidsrechter was een blinde hond en zou er nog wel achter komen. Er werd vuurwerk op het veld gegooid. De speaker waarschuwde dat de wedstrijd gestaakt zou worden als dat weer gebeurde. Iedereen was razend, ik ook. Even flitste de gedachte aan Dana door me heen. Wat heeft dit met voetballen te maken? zou ze vragen. Maar ik zou zeggen dat ze er niks van snapte en dat ze zich maar met die dooie Christiaan moest bezighouden. Het maakte me nog kwader.
'Naar buiten,' zei Harry gehaast, toen de wedstrijd afgelopen was. Hij duwde de jongen vóór zich bijna de trap af. Hij had weer die wilde blik in zijn ogen en zijn kaken stonden strak gespannen. De Spero-supporters aan de andere kant drongen ook naar de uitgang. Ze keken naar ons en het leek wel een vlucht.
Robur – Spero was geen risicowedstrijd. Er was geen ME rond het stadion en er stond geen containermuur om de supporters uit elkaar te houden. Er was wel politie, die was er altijd, en die bleek zich al verzameld te hebben bij de uitgang van ons vak en het vak naast ons. De eerste bussen kwamen aanrijden en groepjes Spero-supporters haastten zich erheen. Maar er waren er ook die de uitdaging wel aandurfden. Ze lachten ons uit. Ze staken hun middelvinger op en zongen dat we homo's waren. '*Dat zijn de homo's, yes sir! De homo's van Robur!*' Toen de eerste Spero-supporters de bus ingingen, drong Robur op. Zenuwachtige politieagenten probeerden ertussen te komen, als NAVO-troepen tussen strijdende partijen in een Balkanland. Het zal je vak maar wezen, dacht ik nog. Ik wilde het tegen Harry zeggen, die naast me stond. We stonden achteraan in de groep en als we al vooraan hadden willen staan, was dat niet mogelijk geweest. Het gedrang was te groot. Maar Harry wílde op

dat moment helemaal niet vooraan. Toen ik opzij keek, zag ik dat hij iets uit zijn zak had gehaald wat hij afstreek tegen de zijkant van een lucifersdoosje. Met een boog gooide hij het naar de groep Spero-supporters. Het was een strijker. Met een keiharde knal ontplofte het ding midden in de groep, die verschrikt uiteenstoof. Er klonk gegil en ik zag in een flits hoe er iemand gehurkt bleef zitten, met de handen voor het gezicht. Een meisje, aan het haar te zien. Ik keek weer naar Harry en wilde iets zeggen. Maar de blik in zijn ogen weerhield me. Dat was niet normaal zoals hij deed. Zijn ogen waren groot en wild en zijn mond stond halfopen. Ik keek om me heen, maar er was niemand die op hem lette. Iedereen keek naar de Spero-supporters. Die waren van de eerste schrik bekomen en kwamen naar ons toe. Er vloog een steen door de lucht. Het was voor de politie onmogelijk om de partijen uit elkaar te houden. Het werd zelfs gevaarlijk en ze moesten terug. Iemand had opeens een tegel uit de stoep weten te krijgen. Hij smeet hem in stukken en gooide een brok terug. Meer tegels werden losgewrikt. Ik zag vlak bij me twee mannen van een jaar of vijfendertig, met elk een jochie van nog geen tien jaar bij zich.
'Naar huis jullie, snel,' zei een van de mannen. Hij gaf de jongetjes een duw in de rug. 'Naar mama!' Ze renden weg. De mannen bukten zich en pakten elk een groot stuk steen.
De parkeerplaats veranderde in een slagveld. Ik bukte me al om ook een steen te pakken, toen Johnny aan mijn arm trok.
'Kom mee,' zei hij. 'Wegwezen. Dit is niks voor ons, man!'
'Kijk dan,' zei ik, terwijl ik naar de Spero-supporters keek. Maar Johnny drong aan. 'Dit is rotzooi, man. Kom op!'
Ik zei: 'Maar die Spero-gasten...'
'Wat nou Spero-gasten?' zei Johnny. 'Wat wou je nou. Ken je ze? Zijn het vijanden of zo? Wou je een stadionverbod, of wat?'
'Niemand weet wie ik ben.' Hij had gelijk, maar ik wilde het niet horen.
'Doe niet zo stom, Marten. Zo dadelijk komen ze met camera's. En als je dan herkend wordt, hang je.'
'Het is donker,' verweerde ik me.

'Oké, jongen.' Hij draaide zich om. 'Ga jij maar fijn met stenen gooien. Ik smeer 'm.' Hij liep weg en ik zag dat dat hem moeite kostte. Zijn enkel, dat was waar ook. Ik keek naar het tumult achter me. De stenen vlogen door de lucht en ook de Spero-bussen werden onder vuur genomen. Ik rende achter Johnny aan. Ik kon hem nu niet in de steek laten.

'Ik ga mee,' zei ik. 'Sorry.'

Op dat moment verschenen de eerste ME-busjes op het slagveld. Ze stopten naast elkaar, een stuk of zeven, en de gehelmde mannen sprongen eruit. Schild en wapenstok. De menigte stoof uiteen en in een oogwenk bevonden we ons midden in een vluchtende groep mensen, achtervolgd door ME'ers. Johnny begon steeds meer te hinken en ik trok hem mee, opzij. We stonden stil onder het viaduct onder de snelweg.

'Ik kan haast niet meer lopen,' zei Johnny. 'Verdomme, man.'

'We gaan langs het talud,' zei ik. 'Buiten het gedrang. En dan steken we daarginds over naar onze fietsen.' We schuifelden naast elkaar verder.

'Leun maar op mijn schouder,' zei ik. Johnny schudde zijn hoofd. 'Het gaat wel,' zei hij. 'Als we maar niet te snel gaan.'

Waren we maar wél sneller gegaan. Had ik hem desnoods maar op mijn rug genomen. Had ik hem maar met me meegesleurd, dikke enkel of niet.

We kwamen bij het einde van het talud en stonden voor de afrit van de snelweg. Het enige wat eraf kwam, waren nog meer ME-busjes. Met behoorlijke snelheid kwamen ze omlaagrazen. We wachtten, maar toen hoorden we geschreeuw achter ons. Stenen vlogen tegen het talud, tegen de onderkant van het viaduct, en vielen om ons heen op de grond. Er kwamen twee agenten op paarden onder het viaduct aangalopperen, met een hele horde mensen voor zich uit. Ik keek naar rechts en zag een opening in het rijtje ME-busjes. Ik gaf Johnny een duw tegen zijn schouder en riep: 'Kom op! Naar de overkant!' Ik stak over.

'Hij speelt in de C1.'

Ik stak over en ik liet Johnny staan. Ik was natuurlijk niet gewend om hem aan het handje mee te nemen. Daar was nooit reden voor geweest. Alleen die avond wel. Hij kon nauwelijks uit de voeten met die enkel van hem. Maar ik was op dat moment alleen met mezelf bezig en dacht dat hij me wel zou volgen.
Dat deed hij ook, maar veel te langzaam. Toen ik aan de overkant van de afrit was, keek ik om. Met een pijnlijk gezicht strompelde Johnny achter me aan. Hij had geen oog voor het aanstormende ME-busje of hij schatte de snelheid niet goed in. Hij was midden op de afrit toen het busje hem raakte. De chauffeur had hem in het donker misschien niet eens gezien. Johnny vloog als een slappe dweil omhoog. Met gespreide armen hing hij een moment in de lucht, met zijn rechterbeen omhoog. De enkeling die het zag gebeuren, stond roerloos op zijn plaats. Keek alleen maar.
Dat beeld verdwijnt nooit meer uit mijn hoofd. Als in een vertraagde film zie ik Johnny, als een vogel met gespreide vleugels, gewichtsloos bijna, de lucht in gaan. Hij lijkt eindeloos in de lucht te blijven hangen, maar valt dan met toenemende snelheid terug naar de aarde. Met een ziekmakende smak raakt hij het asfalt, terwijl het busje vlak langs hem heen schiet.
Een seconde of twee hing er een ongelovige stilte. Toen klonken kreten van afschuw op.
Ik schudde de verlamming van me af en rende terug. Ik was het eerste bij hem en schreeuwde zijn naam: 'Johnny! Johnny!'
Hij bewoog niet. Nog meer mensen knielden bij hem neer. 'Niet aankomen,' zei er een. 'Je weet niet wat hij heeft.' En een ander riep: 'Een ambulance! Snel, bel een ambulance!' Verschillende mensen moeten hun gsm gepakt hebben, maar ik zag het niet. Ik zag alleen de gesloten ogen in het bleke gezicht van Johnny, mijn vriend. Hij

lag op zijn rug en er zat een afschuwelijke knik in zijn rechterbeen. Hij bloedde uit een hoofdwond. Hij was buiten bewustzijn, dacht ik. Hij kon niet dood zijn. Hij lag daar maar en bewoog niet. De man die gezegd had dat niemand Johnny mocht aanraken, legde voorzichtig zijn vingertoppen tegen Johnny's hals. 'Ik voel wat,' zei hij na een paar seconden. 'Hij leeft in ieder geval nog.' Ik voelde tranen opkomen en slikte. De man keek me aan.
'Ken je hem?' vroeg hij.
'Het is mijn vriend,' zei ik. 'Hij speelt in de C1.' Ik weet niet waarom ik dat zei, maar het leek heel belangrijk op dat moment. De man keek naar het rechterbeen van Johnny en schudde zijn hoofd, zonder iets te zeggen.
Er had zich inmiddels een hele kring van zwijgende mensen om ons heen gevormd. Een kring die werd doorbroken door iemand van de ME, uit het busje waarschijnlijk.
'Iedereen opzij,' zei hij. 'Ruimte maken. Hoe is het met hem?'
'Hij leeft,' zei de man naast me kortaf. 'En dat is nog een wonder. Je reed vol op hem in.' Hij klonk beschuldigend.
'Hij ging niet aan de kant,' zei de ME'er. Er was vertwijfeling in zijn stem te horen.
'Hij was geblesseerd,' zei ik. 'Aan zijn enkel.' Alsof ik hem moest verdedigen. Maar dat had geen zin. Ik hoefde hem helemaal niet te verdedigen. Ik had hem moeten beschermen, hem moeten helpen. Ik voelde me totaal ontredderd.
'Je had niet zo achterlijk hard moeten rijden!' schreeuwde ik tegen de ME'er. 'Klootzak!'
Hij reageerde er niet op. 'Bel een ambulance!' riep hij naar een collega die naast het busje stond.
'Is al gebeurd,' zei een stem. 'Ze komen eraan.' We wachtten. Er waren meer mensen bij komen staan. Een eind bij ons vandaan hoorde ik nog steeds geschreeuw en ander tumult. Allemaal mensen die niet wisten wat hier gebeurd was. De strijd ging gewoon door. En daar had ik nog wel aan mee willen doen. Hadden we het maar gedaan, dan had Johnny hier niet gelegen. Ik schudde mijn hoofd. Zinloze gedachten.

In de verte hoorde ik de sirene van een ambulance dichterbij komen. De mensen weken uiteen. 'Daar heb je hem,' zei iemand. De ambulance stopte vlakbij en twee mannen sprongen eruit. De eerste drong zich naar voren en keek.
'Brancard!' schreeuwde hij over zijn schouder. De ander deed de achterdeur open en trok de brancard naar buiten. 'Aan de kant!' riep hij. 'Kom op, doorlopen!' Ze knielden bij Johnny neer.
Ik stond op en keek om me heen. Sommige mensen keken me medelijdend aan. Ze dachten misschien dat hij mijn broer was. De ambulancebroeders hadden Johnny voorzichtig op de brancard gelegd en reden hem naar de ambulance. Ik liep achter hen aan.
'Naar welk ziekenhuis gaan jullie?' vroeg ik.
'Diaconessen,' zei de ene, en de andere vroeg: 'Familie?'
Ik schudde mijn hoofd. 'Hij is mijn vriend,' zei ik.
Het ziekenhuis was vlakbij, zeiden ze. Ik moest er maar met de fiets naartoe gaan en daar informeren. Ze schoven de brancard naar binnen. Een van de twee ging bij Johnny achterin zitten en de andere liep om en kroop achter het stuur. De ambulance reed weg in de avond.
Ik stond daar en keek hem na. Daar ging Johnny, mijn vriend. Het enige wat ik wilde, was dat hij weer bij zou komen. Dat hij weer op zou knappen. Dat we weer samen naar school konden. Dat hij weer zou kunnen voetballen. Ik keerde me om en liep weg, zonder te letten op wat er om me heen gebeurde. Ik moest langs het busje. De ME'er stond er nog. Hij legde een hand op mijn schouder. Maar ik schudde hem af en liep zonder iets te zeggen door, naar mijn fiets.

Ik zat in de gang van het ziekenhuis, naast Johnny's ouders. Ze waren snel gewaarschuwd, omdat Johnny zijn lidmaatschapskaart bij zich had, met zijn adres erop. Johnny was in de operatiekamer. We wachtten op de dokter. Hij had gezegd dat er iemand zou komen zeggen wat er ging gebeuren. Johnny moest geopereerd worden, dat was zeker. Zijn been was lelijk gebroken, maar ze wisten nog niet precies hoe of wat.
Ik had opgebeld naar huis om te zeggen waar ik was. Mijn moeder

was vreselijk ongerust. Ze vroeg een paar keer of het wel goed met mij was. Na de zoveelste keer had ik er genoeg van. Ik schreeuwde haar door de telefoon toe dat mij niks mankeerde, maar dat het om Johnny ging. Toen smeet ik de hoorn erop. Terwijl ik daar in de gang zat, bedacht ik dat het misschien wel logisch was dat mijn moeder zo ongerust was. Ze had me in gedachten natuurlijk al gezien, ingesloten door woedende vijanden en omgeven door vuur en rook. De echte oorlog. En ik was er niet zo gek ver van af geweest. Als Johnny me niet meegenomen had... Johnny. Daar, in die ziekenhuisgang, met een witte, kale muur voor mijn neus, besefte ik dat ik eindelijk een vriend had. Niet zomaar voor de lol, maar echt.

Ik voelde een hand op mijn arm. Het was Johnny's moeder. 'Wat is er nou precies gebeurd?' vroeg ze. Ik vertelde het haar. De stenen, het geschreeuw, de politie. Dat we weggegaan waren, uit het gevecht vandaan. De busjes van de ME, het ongeluk, alles. Alleen dat ik Harry vuurwerk had zien gooien vertelde ik niet. Terwijl dat het begin van alles was geweest. Ik wilde Harry niet afvallen, en bovendien verraadden de jongens van de tribune elkaar niet. Ik maakte mezelf wijs dat het allemaal de schuld van de politie was, omdat ze zo achterlijk hard was komen aanrijden. Dat het misschien wel helemaal niet nodig was om zoveel politie op te trommelen. Die paar stenen. Na een tijdje zou het vanzelf wel opgehouden zijn.

Ik hield mezelf voor de gek. Het was meteen al helemaal uit de hand gelopen, ik had het toch zelf gezien. En waardoor? Eén stuk vuurwerk. Het was die ene strijker die Harry naar de Spero-supporters gegooid had. Ik had er vlak naast gestaan, maar had het niet kunnen voorkomen. Ik zag weer die wilde, nietsziende blik in Harry's ogen. Hij had al gedronken en dan ook nog pillen geslikt waarschijnlijk. Mij waarschuwen voor pillen en dan zelf zo door het lint gaan. Ik vroeg me af of hij enig idee had wat er gebeurd was. Waarschijnlijk niet.

Johnny's vader stond op. Hij had geluisterd naar wat ik verteld had, maar had niets gezegd. Hij liep met zijn handen in zijn zakken in de gang heen en weer, zijn hoofd gebogen en zijn schouders opgetrokken. Na een tijdje ging hij weer zitten.

'Waarom moet er toch altijd rotzooi van komen?' vroeg hij. 'Waarom is voetballen leuk vinden niet genoeg? Ik snap er geen barst van.'
Er waren antwoorden genoeg. We waren op de tribune één grote familie, en die andere familie was de tegenstander. Supporter zijn was spannend, maar vijandschap ook. Bedreigd worden had iets aantrekkelijks, als je midden in de groep liep tenminste, met je familie om je heen. Samen voor je club zijn gaf net zo'n goed gevoel als samen tegen de andere club zijn.
Ik zei dat allemaal niet tegen hem. Ik schaamde me. Ik had niet meegedaan, maar dat was alleen maar omdat Johnny er was geweest. Ik zag de wanhoop van Johnny's ouders en schaamde me kapot. En ook spookte er één naam steeds weer door mijn hoofd: Harry. Ik moest hem zo snel mogelijk spreken.
De deur van de operatiekamer ging open en de assistent van de chirurg die zou gaan opereren kwam naar ons toe. Johnny's ouders stonden op. Johnny's moeder keek naar de man op een manier alsof ze alleen maar goed nieuws uit hem wilde trekken en geen slecht nieuws zou accepteren.
'We gaan zo snel mogelijk opereren,' zei de assistent. 'Zijn rechterbovenbeen is gebroken. Gecompliceerd.'
'Gecompliceerd?' vroeg Johnny's moeder. Dat wilde ze niet hebben. Maar ze had niets in te brengen.
'Op verschillende plaatsen,' zei de assistent op neutrale toon. 'Het is de plek waar hij in eerste instantie geraakt is.' Ik hoorde de klap weer waarmee het busje op hem ingereden was.
'Op verschillende plaatsen gebroken,' zei Johnny's vader. 'Verbrijzeld dus.' Heel onpersoonlijk en toonloos. Alsof het hem niet aanging. Johnny's moeder ademde hoorbaar in.
'Op die manier...' De man aarzelde even. 'Op die manier kunt u het ook zeggen.' Hij leek opgelucht dat hij het zelf niet had hoeven vertellen.
'En verder?' vroeg Johnny's moeder.
'Een hoofdwond en een zware hersenschudding. En twee gebroken ribben.' Een peulenschil, zo klonk het. 'Maar als u me niet kwalijk

neemt... U kunt in de wachtruimte plaatsnemen. Ik zal zorgen dat ze u iets te drinken komen brengen.' Hij wilde weer teruglopen naar de operatiekamer, maar Johnny's vader hield hem tegen.
'Zijn been,' vroeg hij. 'Komt dat weer goed?'
'We moeten het waarschijnlijk met pinnen versterken,' zei de assistent. 'En met een goede revalidatie moet het lopen na een tijd toch weer aardig kunnen gaan.'
'En sporten?'
De assistent zweeg en haalde nauwelijks zichtbaar zijn schouders op. Het bleef even stil. 'Ik moet gaan,' zei hij toen. Hij keek naar de hand die hem nog steeds bij zijn arm vasthield.
'Neem me niet kwalijk,' zei Johnny's vader, 'maar u begrijpt...'
'Ja,' zei de assistent. 'Ik begrijp het.' Hij haalde de hand van zijn arm en verdween de operatiekamer in.

'Lekker belangrijk.'

Ik ging naar huis. De operatie zou lang duren en ik wist niet wat ik al die tijd moest doen. Ik moest naar buiten, bewegen, fietsen. In het ziekenhuis voelde ik me opgesloten. Maar toen ik afscheid van Johnny's ouders had genomen – Johnny's moeder zo smal en klein, alle vrolijkheid weg – en ik in het donker naar mijn fiets liep, voelde ik me alweer schuldig.

Moest je mij nu eens zien, treurig en verslagen. Maar ik ging wel naar huis en lopen kostte me geen moeite. Ik kon op mijn fiets stappen en wegrijden, de vrijheid tegemoet. Johnny was ook opgesloten in het ziekenhuis, maar hij kon níét weg. Ik had hem laten staan, daar bij die afrit van de snelweg. Mooie vriend was ik.

Dat ik zonder ongelukken thuiskwam, mocht een wonder heten. Toen ik bij de schuur stond, kon ik me van de hele terugweg niets meer herinneren. Ik zette mijn fiets tegen de schuur, toen de keukendeur opengingen en mijn vader naar buiten kwam. Dat was heel ongewoon. Ik zette me schrap tegen een regen van opmerkingen. Dat hij het altijd wel gezegd had. Dat bij het voetballen alleen maar tuig rondliep. Dat ik er nooit meer heen mocht. Maar nee, dat gebeurde allemaal niet. Hij wachtte zwijgend. Toen ik mijn fiets in de schuur gezet had, liep ik naar hem toe.

'Hoe is het met je vriend?' vroeg hij. Mijn vader, die nooit een spat om voetballen gaf.

Ik staarde hem aan. 'Zijn been is verbrijzeld,' zei ik. Een afschuwelijk woord. 'Hij kan nooit meer voetballen.'

'Dat is erg,' zei mijn vader. En opeens huilde ik. Een onstuitbare stroom tranen. Mijn schouders schokten. Ik stond daar maar, tegenover mijn vader, en kon niet meer ophouden. Hij deed een stap naar voren en pakte me bij mijn schouders. Toen trok hij me naar zich toe. Onhandig, want hij was het niet gewend. Ik leunde tegen hem aan.

‘Het is mijn schuld,’ zei ik.
‘Wat zeg je?’ Hij verstond me niet.
‘Dat het mijn schuld is.’ Ik haalde mijn neus op. ‘Ik heb hem in de steek gelaten.’
Na een ogenblik zei mijn vader: ‘Kom mee naar binnen.’ Ik liet me meenemen. Mijn moeder stond met haar handen in elkaar geslagen in de kamer.
‘Jongen toch,’ was alles wat ze zei. Mijn vader zette me in een stoel en liet me het hele verhaal nog eens vertellen.
‘Ik had hem daar niet moeten laten staan,’ zei ik toen ik klaar was. ‘Ik had hem met me mee moeten nemen.’
Het bleef even stil en mijn ouders keken elkaar aan. ‘Ik snap dat je dat denkt,’ zei mijn vader toen. ‘Maar je moet het voor jezelf niet onnodig zwaar maken, Marten. Jij hebt toch niet meegedaan met die rellen, of wel?’ Ik schudde mijn hoofd. Vanavond niet in ieder geval. Ik hoefde niet te liegen. Nog niet. Maar dat moment kwam dichterbij en ik was er bang voor.
‘Ik moet naar Harry,’ zei ik opeens. ‘Hij weet niet eens wat er gebeurd is.’
‘Waren jullie niet samen dan?’ vroeg mijn moeder.
‘Het was zo’n zooitje,’ zei ik. ‘Ik zag hem niet meer.’ Nog steeds allemaal waar.
‘Ga nu dan nog maar even,’ zei mijn vader.
Op weg naar de voordeur van Harry’s huis liep ik te bedenken wat ik tegen hem zou zeggen. En ik was benieuwd, wat hij zelf zou zeggen. De blik in zijn ogen toen hij het vuurwerk gooide, was die er nog? Ik belde aan.
Dana deed open.

Ik had helemaal niet meer aan haar gedacht. Ze moest eerst even turen in het donker om te zien wie er aan de deur was. Toen herkende ze me.
‘O, ben jij het,’ zei ze, half spottend, half kwaad. ‘Nog zo’n vandaal.’
‘Is Harry thuis?’ vroeg ik.
‘Ja, hoor,’ zei ze. ‘Hij zit boven op zijn kamer. Nieuwe oorlogsplan-

nen te bedenken en zijn wonden te likken. Hebben jullie veel plezier gehad? Volgens het journaal was het echt gezellig.'

Ik keek haar aan. 'Johnny ligt in het ziekenhuis,' zei ik. 'Niets gezelligs aan.'

Ze schrok even. Toen vroeg ze: 'Wat heeft hij?'

'Hersenschudding,' zei ik kortaf. 'Gebroken been en gebroken ribben.'

'Ze zeiden al dat er gewonden waren,' zei ze. 'Dus een van hen is Johnny. Ben je net lekker aan het stenen gooien en dan boem. Hebben jullie nou je zin?' Ze was echt kwaad geworden.

En ik ook. 'Hou je kop,' zei ik. 'Je weet er niks van. We gooiden helemaal geen stenen. We wilden juist weggaan. Het was een stom ongeluk! Bemoei je er niet mee!' Ik had niet gedacht dat ik ooit zo tegen haar zou praten. Ze zei niets terug.

'Hij kan nooit meer voetballen,' zei ik.

Ze stapte zwijgend achteruit en liet me binnen. Heel anders dan de vorige keer. Haar kwaadheid zakte weg. 'Je weet waar Harry's kamer is,' zei ze. 'Wees maar blij dat mijn moeder niet thuis is.'

Ik liep langs haar heen en ging de trap op. Harry zat bij zijn computer. Hij had zijn pols in het verband en een pleister op zijn hoofd. Hij draaide zich om.

'Waar waren jullie nou?' vroeg hij.

'Op weg naar huis,' zei ik.

'Tegen Parthenon deed je anders wel mee.' Hij keek me spottend aan. 'Johnny vond het niet goed, zeker.'

Ik stikte bijna. Dat had hij nou niet moeten zeggen. Ik dacht aan het bewegingloze lichaam op het koude asfalt. Aan de rare hoek waarin zijn been lag.

'Moet je kijken.' Hij keek weer naar het scherm van zijn computer. 'Ze gaan dreigen, hoor, die suffe Spero-boeren.' Hij had de website van de supportersvereniging op het scherm staan. 'Hier, moet je horen: "We verlangen nu al naar de dag dat jullie hierheen komen, vuile Robur-teringlijers. De wapens liggen klaar. Wraak voor Vera!!"'

'Wie is Vera?' vroeg ik.

'Lekker belangrijk.' Hij haalde zijn schouders op. 'Even een lollig antwoord bedenken.'
Toen vond ik het genoeg. 'Johnny ligt in het ziekenhuis,' zei ik. Het begon al gewoon te worden om het te zeggen.
Nu schrok Harry echt. 'Johnny?' zei hij. 'Die vuile klootzakken.'
'Niks vuile klootzakken,' zei ik. 'We waren al een eind weg. Hij is aangereden bij het viaduct. Door een ME-busje.'
'O ja, de ME,' draafde hij door. 'Ook zo'n lekker stelletje. Flink, hoor. Een helm op je kop, een hond bij je en dan maar met die stok rammen. Die zijn echt gestoord.'
'Harry,' zei ik, 'luister je? Johnny zijn been is verbrijzeld. Hij kan nooit meer voetballen.'
Zie je wel, als je het maar vaak genoeg hardop zei, wende het vanzelf. Nu was Harry stil.
'Nooit meer?' vroeg hij ongelovig.
'Waarschijnlijk niet,' zei ik.
'Klote.' Nu was hij pas onder de indruk. Hij keek me aan. 'Was je erbij?' vroeg hij. Dat was nou net het gedeelte waar ik liever niet aan dacht, maar ik knikte. In plaats van 'ik had hem naar de overkant moeten helpen', zei ik: 'Hij was niet snel genoeg. Zijn enkel...'
'Klote, man,' zei Harry nog een keer. Hij staarde naar het scherm en het bleef even stil.
'Ik heb je die strijker zien gooien,' zei ik toen.
'Nou, en?' Hij haalde zijn schouders op en weer was het stil. Een hele tijd. Ik zei niets en hij keek naar het scherm.
Toen zei hij plotseling: 'Je wilt toch niet zeggen dat het door mij komt dat Johnny in het ziekenhuis ligt?' Ik gaf geen antwoord. 'Of wel?' zei hij.
Hij had niet achter het stuur van dat busje gezeten. Hij was niet eens in de buurt. Het was ook zijn schuld niet dat Johnny een dikke enkel had. Maar toch was het allemaal bij hem begonnen. Ik keek naar hem en herinnerde me weer hoe hij eruitgezien had. Gevaarlijk bijna. Niet de vrolijke Harry die ik in het begin meegemaakt had.
'Wat denk je zelf?' vroeg ik. 'Ik bedoel...' Ik ging niet verder.
'Ik weet niet precies wat je bedoelt,' zei Harry. 'Maar nou moet je

niet uit je nek gaan staan kletsen. Ik vind het net zo erg als jij, als dat misschien helpt. Denk je dat ik bij hem mag, in het ziekenhuis?'
'Ik weet niet wanneer het bezoekuur is,' zei ik. 'Toen ik wegging, waren ze hem aan het opereren. Ik weet niet hoe het afgelopen is. Ik kan zijn ouders bellen, morgen, en dan hoor je het wel.'
'Oké,' zei Harry. Hij had zich weer omgedraaid en keek naar zijn beeldscherm. 'Klere-Spero,' zei hij, en hij begon iets in te tikken. Ik ging de kamer uit en deed de deur zacht achter me dicht. Wat had ik moeten zeggen? Dat hij een stuk tuig was om die strijker midden in een groep mensen te gooien? En ikzelf dan? Hoever was ikzelf niet gegaan, toen bij Parthenon? De verwarring was compleet.
Op de overloop keek ik om me heen. Naast zijn kamer was nog een deur. Dat moest die van Dana's kamer zijn. Ik aarzelde en dacht na over de mogelijkheid om op haar deur te kloppen. Ik wilde met haar over Johnny praten. Haar zeggen dat ik niet meer mee wilde doen. Want opeens wist ik dat dat zo was. Ik dacht aan Johnny en wist dat het dat allemaal niet waard was. Dat wilde ik tegen haar zeggen. Maar in feite wilde ik gewoon weer in haar kamer zijn. Mijn vorige bezoek overdoen. Haar aanraken.
Ik had er niets meer te zoeken. Als ze aan mij dacht, haalde ze waarschijnlijk alleen maar haar schouders op. Ze vond me maar een lullig sukkeltje. Ze had me belazerd. Ik liep de trap af.

Thuis zaten mijn ouders naar het late journaal te kijken. Ik zei niets en ging op de bank zitten. Na een reportage over een orkaan in Florida werden nog een keer de beelden van de voetbalrellen getoond. Zwijgend keken we naar mannen in zwarte uniformen, met witte helmen op. Het was donker en het was niet al te goed te zien. We zagen ME-busjes en mensen die met stenen gooiden. Ik kon niemand herkennen. De stem van de nieuwslezer had het over een aantal aanhoudingen, een paar gewonden, onder wie een meisje dat geraakt was door een stuk ontploffend vuurwerk. Ze was naar het ziekenhuis vervoerd. Ze had oogletsel. Het was nog steeds onrustig in de buurt van het stadion.
Ik hield mijn adem in en dacht aan de boodschap die op het internet

gestaan had. Wraak voor Vera! De strijker die midden in de groep Spero-supporters ontploft was.
'Kijk nou toch.' Mijn vader zat hoofdschuddend te kijken. 'Moet je nou toch kijken. Dat gaat toch nergens meer over.' Ik zei niets. Terwijl de beelden nog steeds over het scherm vlogen, besefte ik dat hij gelijk had. Ik had kunnen zeggen dat dit een uitzondering was. Dat er meestal helemaal niets ergs gebeurde. Dat het gewoon fantastisch was om naar het stadion te gaan. Maar de beelden weerspraken het. De reportage eindigde met het beeld van een langsrijdend ME-busje met witte helmen voor de achterruitjes. Mijn moeder stond op en zette de tv uit.
'Wat zei Harry?' vroeg ze. 'Wist hij het al?'
'Nee, hij wist het niet,' zei ik. 'Hij had een pleister op zijn hoofd.'
'Johnny?'
'Nee, Harry.'
'Die heeft natuurlijk wel meegedaan.' Mijn vader snoof. 'Als ik jou was, zou ik maar een beetje bij hem uit de buurt blijven.' Hij klonk nors, maar tegenover mij was zijn toon toch anders. Minder afstandelijk. Ik wist alleen niet of dat nou kwam door het ongeluk van Johnny, of nog door dat ene moment bij de rivier. Of misschien was hij wel bezorgd geweest.
We gingen naar bed. Gek genoeg sliep ik als een blok en ik kon me de volgende morgen geen enkele droom herinneren.

'Vuurwerk en stenen!'

Ik ging weer naar het ziekenhuis. Ik had Johnny's moeder opgebeld. Ze vertelde me dat de operatie geslaagd was, maar dat het nog helemaal niet bekend was in hoeverre Johnny weer zou herstellen. Voorlopig lag hij nog in het ziekenhuis, en ik mocht heel even bij hem op bezoek.

Hij lag in een bed met een soort tent over zijn benen, als bescherming. Zijn hoofd zat in het verband en hij zag net zo wit als het kussensloop waar zijn hoofd op rustte. Zijn moeder zat naast het bed. Ze lachte bleekjes naar me toen ik binnenkwam.

'Fijn dat je even langskomt,' zei ze. 'Hij is wel wakker, maar kan nog nauwelijks iets zeggen. Zeg hem maar even goeiendag.'

Ik boog me voorzichtig over het bed. Hij keek me aan. Hij herkende me, dat zag ik wel, maar hij zei niets.

'Hé, ouwe makker,' zei ik. 'Hoe gaat het?' Stomme vraag natuurlijk. Het ging hartstikke waardeloos, dat zag iedereen. Maar ik had het gezegd zonder na te denken. Hij keek naar me en knipperde met zijn ogen. 'Klote,' zei hij. Net als Harry. Maar wat wist Harry nou?

'Je moet de groeten hebben van iedereen in de klas,' zei ik. 'Ze gaan je allemaal schrijven.'

Hij probeerde iets te zeggen en ik boog me verder naar hem toe.

'Kan niet lezen,' zei hij.

'Maakt niet uit, man. Ik kom ze allemaal voorlezen als je wilt.' Hij had zijn ogen alweer dicht en zei niets meer.

'Dat zou fijn zijn,' zei zijn moeder. 'Als je dat zou willen doen.'

'Ik kom zo vaak mogelijk,' zei ik. Ik keek weer naar Johnny. De tranen prikten opeens in mijn ogen. Mijn vriend, verdomme. Mijn vriend. Ik knikte even half naar Johnny's moeder en ging haastig de kamer uit.

Die week ging ik nog een paar keer naar hem toe. Maar er waren geen brieven, en als ze er wel waren geweest, was hij nog niet in staat geweest ernaar te luisteren. Hij had veel pijn, ondanks de pijnstillers, en ik zat er eigenlijk alleen maar. De eerste keer alleen en de tweede keer met Johnny's ouders. Johnny's vader zat maar naar die tent op het bed te kijken. Hij was geen prater en nu helemaal niet. Hij hield Johnny's hand vast – smalle, bleke hand, bewegingloos – en hield zijn wanhoop binnenin zich.
'Je hoeft niks te zeggen, hoor,' zei Johnny's moeder tegen me. 'Hij weet dat je er bent en dat is genoeg. Praten komt later wel.' Ik was er dankbaar voor dat ze dat zei, want ik voelde me ongemakkelijk, zo zonder iets te kunnen zeggen.
Voor de rest ging het leven gewoon door. Ik ging naar school en na de eerste dag werd er niet meer zoveel over Johnny gepraat. Dat was thuis ook zo. Thuis waren andere dingen aan de orde. Mijn vader vertelde me dat het erom ging spannen. Hij had nog steeds twee mogelijkheden om ergens anders te gaan werken. De kansen tussen het filiaal in zuid en dat in Groningen waren fiftyfifty. Het kon mijn vader zelf niet zoveel schelen, als hij maar weg kon bij het filiaal waar hij nu werkte. Als hij naar zuid ging, konden we natuurlijk gewoon blijven waar we waren. Als hij naar Groningen ging, moesten we verhuizen. Maar de huisvesting in Groningen was geen probleem, zei hij. In ieder geval niet voor de werknemers van de bank.
Ik was daar niet blij mee natuurlijk. Maar het raakte me minder dan de vorige keer dat hij het erover had. Ik was met mijn gedachten nog steeds bij Johnny. En bij Dana. Ik zag haar natuurlijk nog wel, zo nu en dan. Maar altijd vanuit de verte en ze was nooit alleen. Op school zag ik haar een keer met die Christiaan van haar op het muurtje zitten, hun hoofden dicht bij elkaar. Ze lachten. Er kwam een bittere smaak in mijn mond en ik dwong mezelf de andere kant op te kijken. Ik wilde haar niet meer zien. Ik haatte haar. Ik werd gek van haar. Ik hield van haar.

Mijn ouders begrepen er niet veel van dat ik de volgende zondag naar het stadion ging. Gelukkig hielden ze hun commentaar ditmaal voor zich, maar ik zag hoe ze, bijna zonder iets te bewegen, reageerden: mijn vader haalde zijn schouders op en mijn moeder fronste haar wenkbrauwen. Zonder Johnny naar het stadion, dat was raar. Maar ik maakte mezelf wijs dat ik ook voor hem ging, hoewel hij er natuurlijk niets aan had

Bij het stadion was alles net als anders, behalve dat er veel meer politie was. Het was de laatste wedstrijd voor de winterstop. Iedereen wilde het feest nog een keer meemaken voordat alles twee maanden stil kwam te liggen. Alle bekenden waren op de tribune, maar de enige die naar Johnny vroeg, was Barend.

'Dat is toch een vriendje van jou?' vroeg hij. 'Die in het ziekenhuis ligt, bedoel ik.'

'Ja,' zei ik.

'Voetballertje toch?'

'Ja,' zei ik. 'In de C1.'

'Dat gastje dat toen hier voor de tribune ballenjongen was?' ging Barend verder. 'Met dat doelpunt?' Ik knikte.

'Doe hem de groeten,' zei Barend. 'En dat hij maar weer gauw mag scoren.'

Ik zweeg. Barend kon er toch niets aan doen en zijn aandacht dwaalde alweer weg. Maar goed, hij had er tenminste naar gevraagd en dat kon ik van de anderen niet zeggen. Het leek wel of ze zich een beetje afzijdig hielden.

'Je moet zelf maar even Johnny's ouders bellen,' zei ik tegen Harry. 'Om iets af te spreken voor een bezoek in het ziekenhuis.'

'Tuurlijk, tuurlijk,' zei Harry. 'Ik ga het vanavond meteen doen.' Hij draaide zich om naar Petmans achter hem en zei iets wat ik niet verstond. Ik voelde me plotseling alleen.

De laatste tegenstander voor de winter was ATOS '34. De club die ik in mijn eerste wedstrijd gezien had. De verdediger met het lange haar was er nog steeds. Rommy van Bemmel ging een heet middagje tegemoet. Met mijn handen in mijn zakken stond ik naar het veld te kijken, zonder dat ik oog had voor de supporters in het uitvak.

Op het veld was het al snel oorlog, en ook op de tribune was de

sfeer gespannen. De politie stond paraat en ik zag ME-helmen. Een grimmige toestand.
Schelle fluitconcerten voor elke actie van ATOS en fanatiek gejuich voor alles wat Robur deed. Iedereen leek onder stroom te staan, alsof vanmiddag dé middag was. En het was nog maar halverwege de competitie.
Robur zong het aloude: *Bloed, zweet en tranen! We willen bloed, zweet en tranen!*
ATOS scandeerde: *Vuurwerk en stenen! Ze gooien vuurwerk en stenen!*
'Ja, jongen!' schreeuwde Harry, toen het even stil was. 'Voor vuurwerk moet je hier zijn! Wil je ook wat?' Hij greep in zijn jaszak, alsof hij de volgende strijker tevoorschijn wilde halen. Gejuich om hem heen en iedereen schreeuwde: '*ATOS-boeren dood, olé, olé!*'
Het hele vak keerde zich naar de vijand in het vak ernaast. Het hele vak, maar ik niet. Niet dat ik dat zo goed van mezelf vond, maar op dat moment zag ik Johnny voor me. Tent op zijn bed. En een onbekend meisje ergens ver weg in een ziekenhuis. Misschien wel blind aan één oog. Ik hoorde Harry naast me tekeergaan en ik werd misselijk. Ik keek strak naar het veld en liet het geweld langs me heen gaan. Het ging onophoudelijk door. Tot aan de rust. In de sportuitzending van die avond zouden ze het hebben over het fantastische Robur-publiek, dat zich deze keer goed gedragen had. Maar dat kwam omdat ze niet alles konden verstaan. En omdat ze niet wisten wat ik wist. Omdat ze niet, net als ik, hadden gezien dat Harry de strijker gegooid had. Omdat ze alweer vergeten waren wat er na de wedstrijden tegen Spero en Parthenon gebeurd was.
In de rust gingen grote groepen de tribune af. Naar de wc of iets te drinken halen. Ik ging ook, maar ik liep door naar de uitgang. De steward die daar stond, zei nog iets tegen me, maar ik verstond hem niet. Ik liep blindelings naar mijn fiets en reed weg van het stadion. Weg van de plek waarvan ik was gaan houden. Een kwartier later stond ik voor de ingang van het ziekenhuis.

Er was niemand op bezoek. Johnny lag stil op zijn rug en was wakker. Hij staarde naar het plafond. Ik ging naast zijn bed zitten.
'Hoi,' zei ik. 'Gaat het een beetje?'
Hij draaide zijn hoofd naar me toe. 'Marten,' zei hij. Zijn stem klonk zwak.
'Zijn je ouders er niet?'
'Om vier uur. Hoe laat is het?'
'Halfvier geweest.'
Hij keek weer naar het plafond en dacht na. 'Is er geen voetballen?' vroeg hij na een tijdje. Ik moest me naar hem toe buigen om hem goed te verstaan.
'Jawel,' zei ik. 'Maar ik ben in de rust weggegaan.'
'Waarom?' Hij keek me weer aan.
Ik haalde mijn schouders op. 'Ik voelde me niet goed,' zei ik. 'Ik werd misselijk.'
Weer bleef het even stil. Johnny had zijn ogen dicht. Toen hij ze na een tijdje weer opendeed, zei hij: 'Heb je het gehoord van dat meisje?'
'Ik heb niks gehoord,' zei ik. 'Welk meisje?'
'Van Spero. Ze is gewond, door vuurwerk.'
'Bedoel je dat? Ja, dat heb ik gehoord. Weet jij er iets van?'
'Oog kwijt,' zei hij. 'Het was op het nieuws op de radio. Klote, man.'
Een oog kwijt... Ik schrok. Iemand was een oog kwijt en ik wist wie het had gedaan.
'Daar begon het mee,' zei Johnny. 'Vuurwerk.'
Hij had helemaal gelijk. Ik kreeg het benauwd en wilde dat ik Harry niet had zien gooien.
'Als jij had gezien wie het gegooid had,' zei ik plotseling, 'zou je dat dan melden?'
Hij dacht weer na. 'Nee,' zei hij toen. 'Je moet je maten niet verraden.' Hij keek me aan. 'Waarom vraag je dat?'
Ik gaf daar geen antwoord op. 'Dus jij zou het niet vertellen?' vroeg ik. 'Maar jij bent toch...' Ik stopte.
'Slachtoffer, bedoel je?' Hij schudde zijn hoofd, en zijn gezicht vertrok van de pijn. 'Kon hij niet weten,' zei hij. 'Wat er gebeuren zou,

bedoel ik.' Zijn stem werd zwakker en hij deed zijn ogen weer dicht.
Na een tijdje zei hij: 'Ik val steeds in slaap. Medicijnen, sorry.'
'Geeft niet,' zei ik. 'Slaap maar.'
Maar hij zei: 'Zou jij het zeggen? Als je het gezien had?'
Ik keek hem aan. Ik zag aan hem dat hij wist dat ik wist wie het gedaan had.
'Weet ik niet.' Ik haalde mijn schouders op.
'Nooit verraden,' zei hij. De deur van de kamer ging open en zijn ouders kwamen binnen.

Aan het eind van die middag stond ik halverwege de marathon van New York plotseling stil. Ik wist niet eens meer precies wat ik deed. De enige mensen aan wie ik dacht, waren Harry, Johnny en het meisje van Spero. Ik stond midden op het pad stil en zag hoe de concurrentie om de hoek verdween. Geen finish in Central Park voor mij die dag.
Ik was alleen. Langzaam liep ik verder in de schemering. Ik begon koud te worden, maar kon mezelf niet meer op gang krijgen. Niet verraden, had Johnny gezegd. Ik snapte waarom. Je ging je familie niet verlinken. Supporter zijn was samen uit, samen thuis. Daar kwam niemand tussen. Je hielp elkaar als dat nodig was en je beschermde elkaar. Harry had mij indertijd ook geholpen toen ik bedreigd werd.
Johnny kon niet meer voetballen. Als Harry geen vuurwerk had gegooid was het ongeluk misschien niet gebeurd. Misschien niet. Indirect was Harry de oorzaak van de hele geschiedenis. Maar dat was allemaal theorie.
Het meisje in het ziekenhuis was haar oog kwijt. Daar kon ik echt niet omheen. Harry had gegooid en zij was geraakt. Honderd procent zijn schuld en niemand had het gezien, behalve ik.
Ik rilde over mijn hele lichaam en wreef over mijn armen. Ik moest terug. Met verstijfde spieren begon ik weer hard te lopen, zo goed en zo kwaad als het ging. Na een tijdje was de ergste kou uit mijn lijf en toen ik thuis was, zweette ik weer.
Ik móést nog een keer met Harry praten.

'Hoe was het voetballen?' vroeg mijn moeder plichtmatig toen we aan tafel zaten. 'Nog iets gebeurd?' Ze deed haar best om geïnteresseerd te zijn, terwijl ze het niet was. Maar het was lief van haar dat ze ernaar vroeg.
'Ik weet het niet,' zei ik. 'Ik ben in de rust weggegaan.'
'Waarom?' vroeg mijn vader. Hij was verbaasd en zo te zien bijna aangenaam verrast.
'Ik was misselijk,' zei ik, net als tegen Johnny. 'En toen ben ik nog maar even naar het ziekenhuis gegaan.'
'Omdat je misselijk was?' vroeg mijn moeder.
'Nee, naar Johnny natuurlijk.' Ondanks alles schoot ik in de lach. Mijn moeder ook, toen ze haar vergissing inzag. Ik kreeg opeens een warm gevoel. Robur was niet mijn enige familie.
'Hoe was het met hem?' vroeg mijn vader.
'We hebben weer een beetje gepraat,' zei ik. 'Beter dan de vorige keer.'
'Goed van je dat je naar hem toe ging,' zei mijn moeder.
'Hij is mijn vriend,' zei ik. 'Als het even kan, ga ik komende week elke dag. Uit school of zo.' Half en half verwachtte ik een opmerking over mijn huiswerk. Maar dat was meer uit gewoonte. In ieder geval kwam er niets. Ik keek naar mijn vader. Hij knikte en at verder. Ik haalde diep adem. Er was iets veranderd thuis. Niet dat we elkaar om de nek vielen, maar toch.
Op het avondnieuws kwam de mededeling die ik van Johnny ook al gehoord had. Het meisje van Spero moest een oog missen. Het was gebeurd bij het begin van de rellen en de politie zocht naar de dader.
'Die vinden ze nooit,' zei mijn vader. 'Die lui dekken elkaar allemaal.' Hij betrok het niet op mij. Hij wilde niet dat ik daarbij hoorde. Ik reageerde niet.
'Wanneer is de volgende wedstrijd?' vroeg mijn vader. 'Volgende week?'
'Voorlopig niet,' zei ik. 'Winterstop.'
'Heel goed,' zei hij. 'Tegen die tijd heeft iedereen misschien zijn verstand weer teruggevonden.' Ik betwijfelde het.
Ik wilde eigenlijk zo snel mogelijk naar Harry toe, hoewel ik er ook

voor terugschrok. Maar als ik bij hem zou aanbellen kwam ik Dana misschien weer tegen. Dat wilde ik wel, maar ik wilde het ook niet. Als ik aan haar dacht, voelde ik me zo'n sukkel. Ik was erin getrapt en ze lachte me alleen maar uit. Ik ging niet. Ik zou Harry wel een keer tegenkomen.

‘Er is wel meer gegooid.’

Dat gebeurde meteen de volgende dag. Ik fietste langs de snackbar, toen hij daar naar binnen ging. Ik stopte en zag door het raam hoe hij iets bestelde, geld op de toonbank legde en aan een tafeltje ging zitten. Hij was de enige klant. Ik zette mijn fiets op slot en ging naar binnen. Nu meteen doen en niet aarzelen. Hij keek op toen ik binnenkwam. Ik liep door naar de toonbank en bestelde een broodje frikandel. Toen ging ik tegenover hem zitten.
‘Hallo,’ zei hij. Hij was niet erg op zijn gemak, leek het wel.
Ik wachtte niet. ‘Heb je het gehoord?’ zei ik. ‘Van dat meisje?’
‘Wie?’ Hij hield zich van de domme.
‘Kom nou, Harry. Je weet wel wie ik bedoel. Dat meisje van Spero. Ze is blind aan één oog.’
Hij zei niets en keek me alleen maar aan.
‘Dat was jouw strijker,’ zei ik.
‘Wie zegt dat?’
‘Dat zeg ik. Ik heb je zien gooien.’
‘Er is wel meer gegooid.’
‘Hij kwam midden in de groep terecht. En ik heb gezien dat er iemand geraakt werd. Aan haar gezicht.’
De man van de snackbar stond bij de frituurbakken aan de andere kant van de toonbank. Maar ik praatte zacht en het vet spetterde. Hij kon niet horen wat ik zei.
‘Ssst,’ siste Harry desondanks. ‘Wat lul je nou, man? Wat kan jij nou gezien hebben? Het was donker.’
‘De parkeerplaats was verlicht,’ zei ik. ‘Ik wéét wat ik gezien heb.’
De man van de snackbar kwam om de toonbank heen lopen met een broodje hamburger en een broodje frikandel. ‘Smakelijk,’ zei hij. We gaven geen antwoord en hij zei nog eens, met nadruk: ‘Smakelijk.’

'Ja, bedankt,' zei ik. Harry mompelde iets.
'Wat is het toch fijn als de mensen beleefd tegen elkaar zijn,' zei de man. 'Dat maakt mijn werk nou zo leuk.' Ik lachte verontschuldigend naar hem. 'Sorry,' zei ik. Hij verdween door een deur aan de zijkant. We namen allebei een hap van ons broodje en kauwden zwijgend.
'Wat wou je nou zeggen?' zei Harry na een tijdje. 'Dat het allemaal mijn schuld is? Van Johnny ook?'
'Wat vind je zelf?' vroeg ik.
Hij leunde met zijn ellebogen op de tafel en richtte zijn rechterwijsvinger op mijn borst. 'Luister,' zei hij. 'Om te beginnen kan niemand iets bewijzen, zelfs als iemand naar de politie zou gaan om het te zeggen. Of was je dat niet van plan?'
Het zweet brak me uit. Het liefst was ik weggegaan, maar ik bleef zitten. We waren toch vrienden, of niet soms?
'Daar zijn afspraken over, weet je,' ging Harry verder, zonder op mijn antwoord te wachten. 'Iemand die zijn maten verlinkt, zal spijt krijgen dat hij ooit naar het voetballen is gegaan.'
'Wat gebeurt er dan mee?' vroeg ik. Mijn stem kraakte een beetje.
'Marten, jongen,' zei Harry, 'dat wil jij helemaal niet weten.' Hij pakte de rest van zijn broodje hamburger en stond op. 'En nu ga ik weg,' zei hij. 'Ik wil er niks meer over horen.' Hij liep de deur uit.
Ik ging hem achterna, want ik was nog niet klaar. Ik gooide te veel geld op de toonbank, wachtte niet op het wisselgeld, nam wel mijn broodje frikandel mee en stoof naar buiten.
'Hé!' riep ik. Ik was woedend en mijn woede was groter dan mijn angst, al wist ik dat het geen loos dreigement was wat hij had geuit. Harry draaide zich om en wachtte op me.
'Was er nog wat?' vroeg hij.
'Ja,' zei ik. 'Ik wil even zeggen dat ik niet naar de politie ga.'
'Je durft niet.'
'Dat is zo, ik durf niet.' De woorden kwamen vanzelf. 'Maar ik wil het ook niet. Ik vind ook dat je elkaar niet moet verraden.'
'En nu?'
'Dat moet jij weten. Elke keer als jij aan die avond denkt, denk je

ook aan Johnny en aan dat meisje. Johnny heeft een verbrijzeld been, maar je bent nog niet één keer bij hem op bezoek geweest.' Ik haalde diep adem en keek naar het halve broodje frikandel in mijn hand. Dat moest nog even wachten, want ik had nog meer te zeggen. Harry zei niets.
'Nog niet één keer,' zei ik. 'Je durft het niet. Lul niet over maten en vriendschap, man! Je laat hem gewoon in de steek!' Ik zag Johnny voor me in zijn witte ziekenhuisbed en voelde mijn tranen omhoogkomen.
'Nee, ik ga niet naar de politie,' zei ik met half verstikte stem. 'Jij hebt gegooid, Harry. En als er íémand naar de politie moet gaan, ben jij het. Zoek het zelf maar uit. En als je het niet doet, ben je een grote lafbek!'
Ik draaide me om en liep met grote stappen weg, zonder aan mijn fiets te denken. Het was er achter elkaar uit gekomen, alsof ik het ingestudeerd had. Toch kon ik haast niet geloven dat ik dat allemaal gezegd had. Harry was vier, vijf jaar ouder dan ik. Harry hoorde bij de grote jongens. Veel meer dan ik, besefte ik. Ik stond zo strak als een gespannen veer en propte de rest van het broodje in mijn mond terwijl ik doorliep. Ik verwachtte elk moment een hand op mijn schouder, maar die kwam niet. Toen ik bij de eerstvolgende straathoek was, keek ik om. Harry stond nog steeds op dezelfde plek. Hij leek zich niet bewogen te hebben en staarde me na. Met een ruk draaide ik me weer om en ik verdween om de hoek. Toen ik uit het zicht was, verslikte ik me. Ik stond zeker een minuut te hoesten en te rochelen, terwijl ik met mijn hand steun zocht tegen de muur.

Ik kon me niet herinneren mijn vader ooit zo opgetogen te hebben gezien. Hij kwam de kamer binnen en vloog mijn moeder om de hals.
'Het is gelukt!' riep hij uit. 'Het gaat door!'
Mijn moeder slaakte een opgewonden kreetje en knuffelde terug. Alweer! Ik wist niet wat ik zag.
'Wat is er?' vroeg ik, nog zonder te beseffen dat er bijna een hoofdstuk afgesloten werd.

'Ik heb een andere baan,' zei mijn vader half buiten adem. 'Over een maand al. Naar Groningen!' Hij was helemaal opgelucht en mijn moeder ook. Ik dacht zelfs even een traan te zien.
Daar zat ik. Naar Groningen dus. Verder weg kon bijna niet. Weg Robur, weg Johnny en weg Dana. Maar Dana was allang weg, natuurlijk. Behalve dan dat ik nog minstens tien keer per dag aan haar dacht.
'Gaan we dan ook meteen verhuizen?' vroeg ik.
Mijn vader liet mijn moeder los. 'Het vinden van een huis is geen probleem,' zei hij. 'Het schijnt dat we zelfs uit drie kunnen kiezen.'
Er was geen ontkomen aan. Mijn vader hoorde hoe ik zuchtte en zei: 'Je voetbalclub, ik snap het. Ja, het spijt me echt, jongen. Maar is er in Groningen dan geen club?'
Dat was al heel wat, dat hij dat opperde. Natuurlijk was er in Groningen een club, maar dat was Robur niet. En leg dat maar eens uit.
'We kunnen het komende weekend wel gaan kijken,' zei hij. 'Met zijn drieën, bedoel ik.'
'Gaan jullie maar,' zei ik. 'Jullie kiezen toch.' Hij sprak het niet tegen, maar begon met mijn moeder meteen over verhuisplannen en inrichten, en misschien nieuwe spullen kopen. Allemaal dingen die geld kostten, en het was niet uitgesloten dat ze toch weer ruzie zouden krijgen. Ik ging maar weer een wedstrijdje lopen.

De laatste dag voor de kerstvakantie ging ik uit school naar Johnny.
'Hebben ze er nog iets over gezegd of je weer kunt...' Of je weer kunt lopen, wilde ik zeggen en ik zat met een rood hoofd naast zijn bed.
'Ja, hoor,' zei hij vrolijk. Maar het was een hard soort vrolijkheid. Onecht. 'Natuurlijk kan ik straks weer lopen.' Alsof hij kon lezen wat ik wilde zeggen. 'Eerst in een rek, en dan met stokken, en als laatste met een stijve poot, de rest van mijn leven. Een kwestie van oefenen.' Hij zei het terwijl hij naar het plafond keek, en toen hij het gezegd had, trok hij met zijn mondhoeken en zijn kin rimpelde. Even vocht hij tegen zijn tranen. 'Nog een geluk dat ik niet in een rolstoel terechtkom.' En toen kwam het hoge woord eruit: 'Nooit meer voetballen, Marten,' zei hij. 'Nooit meer.' De tranen wonnen. Ik zat naast het bed en wist niets te zeggen.

Na een tijdje praatten we weer over andere dingen. Over school. Dat het nog wel even zou duren voor hij weer terugkwam. Maar dat de leraren hem zouden helpen, zodat hij toch overging. Over voetballen hadden we het niet meer, ook niet over Robur. Toen ik wegging, zei ik dat ik ging verhuizen. Ik was het bijna vergeten. Hij vond het jammer, dat zag ik. Maar hij zei dat hij hoopte dat het goed met me zou gaan. En dat hij het leuk zou vinden om contact te houden. Natuurlijk beloofde ik hem dat en ik was het vast van plan ook.
Toen ik buiten liep, zag ik de tranen in zijn ogen weer, en ik voelde bijna zelf de pijn. Als ik niet was overgestoken en bij hem was gebleven, had hij nu alleen maar een dikke enkel gehad. Al niet eens meer, waarschijnlijk.
'Nooit meer gewichtsloos,' zei ik hardop. 'Nooit meer.' Een vrouw die net langsfietste, verstond het en keek vragend achterom, maar ze reed door. Mensen die hardop tegen zichzelf praatten, moest je met rust laten.

Diezelfde dag kwam het bericht dat we binnen korte tijd naar Groningen konden. Alles gebeurde toen wel erg snel achter elkaar. Té snel, vond ik. Ik had nog de mogelijkheid overwogen om bij elke thuiswedstrijd met de trein naar Robur te gaan. Maar de afstand was te groot. En ik had er het geld niet voor. Kwaad worden hielp niet. Ik werd wel kwaad, maar er kwam geen oplossing. Tegen mijn vader zei ik nog wel dat ik het niet eerlijk vond dat dat soort beslissingen altijd buiten kinderen om werd genomen. Of je wilde of niet, méé moest je. Maar hij antwoordde op de manier waarop volwassenen antwoorden in zulke situaties. Dat je aan sommige dingen nu eenmaal niets kon doen. Dat er meer voetbalclubs waren. Dat er meer was dan voetbal. Dat een nieuwe school best leuk kon zijn. Wie wist wat ik daar allemaal voor leuke vrienden tegenkwam. Het zou allemaal best meevallen, heus.
In de kerstvakantie ging ik zoveel mogelijk bij Johnny op bezoek. Het viel me op dat er behalve zijn ouders en ik bijna nooit iemand kwam. Eén keer zat de trainer van zijn elftal bij het bed. Het was de schreeuwer van het voetbalveld, maar nu was hij heel rustig. Hij

was bezorgd om wat er met Johnny zou gebeuren. Mijn linkerspits, zei hij. Maar terwijl hij het zei, keek hij naar de tent die nog steeds over de onderkant van Johnny's bed stond. Ik zag verdriet in zijn ogen, echt verdriet. Johnny was weer geopereerd en het zou de laatste keer niet zijn. Toen de trainer wegging, pakte hij Johnny's hand vast.

'Geef de moed niet op, jongen,' zei hij. 'Nooit de moed opgeven.'

Johnny glimlachte zo dapper mogelijk, maar het leek nergens op. Toen de trainer de deur uitging, zag ik dat hij kleiner was dan buiten op het voetbalveld.

'Die schreeuwt niet meer tegen me,' zei Johnny. Hij grijnsde zowaar even. 'Toch fijn dat hij kwam.'

'Hij valt best mee,' zei ik.

'Weet je,' zei Johnny, 'ik heb het er met hem over gehad dat ik niet alles moet willen. Eerst maar weer overeind komen en daarna voorzichtig gaan oefenen. Als ik maar weer een beetje kan lopen. Dat soort dingen.'

'Ja,' zei ik. 'En dat je weer naar het stadion kunt, en zo.'

Maar hij schudde zijn hoofd. 'Ik denk niet dat ik daar nog heen ga. Dat trek ik echt niet, man.'

Ik wist niets te zeggen. Zelf zou ik ook niet meer gaan. Tegen de tijd dat de winterstop was afgelopen, zat ik aan de andere kant van de aardbol.

'Ik kan altijd nog gaan rolstoelbasketballen,' zei Johnny. Maar dat klonk niet vastberaden. Helemaal niet zelfs.

'Is Harry nog geweest?' vroeg ik.

'Nee.' Hij schudde zijn hoofd. 'Ik snap het niet.'

Ik snapte het wel, maar dat hield ik voor me. Dat zou misschien ooit nog wel eens kunnen. Over een hele tijd.

'Jij hebt het gezien, hè?' zei hij opeens. 'Wie die strijker gegooid heeft.'

Ik knikte. 'Ja,' zei ik. 'Ik heb het gezien.'

'Maar je verraadt het niet.'

'Nee,' zei ik. 'Dat ga ik niet doen.'

Voordat ik wegging, beloofde ik nog een keer dat ik langs zou blij-

ven komen. Ook als hij thuis was en ook als ik in Groningen woonde. In ieder geval zou ik hem opbellen, en sms-en natuurlijk.
'Dat hou je nooit vol,' zei Johnny.
'Echt wel,' zei ik.

‘Kom op, Robur! Het kan nog!’

Voor de rest weet ik van die kerstvakantie niet veel meer dan dat het Kerstmis werd en oud en nieuw. In ons huis werd het een steeds grotere chaos van ingepakte dozen, stapels met rommel van de zolder en toenemende zenuwachtigheid bij mijn moeder. Maar harde woorden vielen er nauwelijks. Voor mijn ouders was het vast wel goed dat we weggingen.
Ik las veel en pakte mijn eigen spullen in. Ik had mijn seizoenkaart met verlies doorverkocht aan iemand van school. Zo scheurde ik mezelf stukje voor stukje los. Harry was ik nog wel eens tegengekomen. Maar hij zei nauwelijks iets, en ik had het vermoeden dat hij zo vaak mogelijk een omweg maakte als hij me zag. Geen weer om op mijn dakkapel te zitten en Dana zag ik die hele vakantie maar één keer. Ze zwaaide naar me, riep hallo en fietste door. Voor haar was het spelletje afgelopen. Weer een stukje losgescheurd. Het deed pijn. Alsof je een vastgelijmd stuk vloerbedekking lostrok.
Verhuizen was absoluut niet leuk, merkte ik. Voorlopig leek het meer op schipbreuk lijden en ten slotte aanspoelen op een onbekende kust. In hardlopen had ik geen zin. Het was buiten te somber en te koud. Eind januari, precies een week voor het einde van de winterstop, verhuisden we naar Groningen.

Ik volgde de uitslagen van Robur al die tijd. In dat seizoen werd Robur vijfde en speelde het seizoen daarna Europees voetbal. De eerste tegenstander was Sliema Wanderers van Malta. Uit werd het 1-1 en thuis won Robur met 3-0. De hele stad op zijn kop, hoorde ik. Maar ja, Sliema Wanderers... De volgende tegenstander was Real Zaragossa uit Spanje. Andere koek. Geen schijn van kans. Alletwee de wedstrijden werden dik verloren. Het was leuk geweest, maar Robur was duidelijk nog te klein. Van Johnny, met wie ik regelmatig contact had, hoorde ik dat er bij de thuiswedstrijd bijna weer rellen waren geweest. Maar de politie was er deze keer op voorbereid. Over Harry hoorde ik de eerste tijd niets.

'Weet je wat er gebeurd is?' vroeg Johnny, toen ik hem ongeveer een halfjaar nadat ik verhuisd was aan de telefoon had. Ik zei dat ik het niet wist. Waarschijnlijk niet. Als het over hemzelf ging tenminste. Maar het ging over Harry.

'Hij is naar de politie gegaan,' zei Johnny. 'Weet je waarom?'

'Ja,' zei ik na een korte stilte. 'Dat weet ik, denk ik, wel.'

'Natuurlijk,' zei hij. 'Ik heb het altijd wel geweten. Al wist ik toen niet dat het Harry was die je had zien gooien. Hij heeft zich aangegeven bij de politie.'

'Hij had gedronken,' zei ik. 'En toen ook nog pillen genomen, denk ik.'

'Rotzooi, man,' zei Johnny.

'Toch goed van hem.' Ik dacht aan de scène in de snackbar en voelde mezelf groeien. 'En nu?'

'Stadionverbod. En hij heeft een behoorlijke taakstraf gekregen. In een blindeninstituut. Hoe vind je die?' Ik zei dat ik dat goed bedacht vond. 'En hij moest contact zoeken met de slachtoffers,' ging Johnny verder.

'Met de slachtoffers?'

'Ja, met dat meisje. En met mij natuurlijk.'

'Was hij nog nooit geweest?'

'Nee, dat had hij niet gedurfd, zei hij. Hij had niet geweten wat hij moest zeggen.'

'Wat zei hij nog meer?' vroeg ik.

'Ja, dat hij spijt had natuurlijk. Veel meer kwam er niet uit. Het stelde allemaal niet zoveel voor. Alleen zei hij nog dat jij het gezien had. En dat hij het goed van je vond dat je niet naar de politie was gegaan.'

Ik zei: 'O.' Meer niet.

'Dat vind ik ook, weet je,' zei Johnny.

Ik vond het eigenlijk helemaal niet zo goed van mezelf. Ik had het hoofdzakelijk niet gedaan omdat ik bang was geweest voor wat ze

met me zouden doen. 'Verder zie ik Harry niet meer,' zei Johnny ten slotte. 'Ik lig er niet wakker van. Dat is allemaal voorbij.' Maar zijn stem klonk triest.
'Ik kom binnenkort langs,' zei ik opeens. Ik wilde hem spreken. Niet door de telefoon, maar recht tegenover elkaar. 'Goed?'
'Leuk,' zei hij. 'Zo gauw mogelijk dan. Kan ik zien of je gegroeid bent.'
'Meters,' zei ik.

Ik ging meteen de volgende zaterdag. Hij zat in de kamer, met zijn been op een steun.
'Ik zit niet de hele dag, hoor,' zei hij. 'Ik revalideer.' Hij zei het plechtig, alsof het een hele eer was om te revalideren. Er stonden krukken naast zijn stoel. Het zou waarschijnlijk niet lukken om alles weer recht op zijn plaats te krijgen. Hij zou wel weer vrij behoorlijk kunnen lopen, maar daar bleef het ook bij.
Johnny's moeder bracht thee en koeken. Ze zag er nog steeds jong uit, maar magerder. En er liep hier en daar een lijntje extra in haar gezicht. Johnny's vader was er niet.
'Moet je horen,' zei ik, toen ze de kamer uit was, 'ik wil je nog iets zeggen. Over die avond toen het gebeurde.'
'Is dat echt nodig?' vroeg hij. 'Ik probeer het juist zoveel mogelijk te vergeten.'
'Eén keer nog.' Ik haalde diep adem. 'Over of Harry nou de schuld is van jouw ongeluk of niet.'
Hij keek me aan en zei niets. 'Eigenlijk was het mijn schuld,' zei ik. 'Ik had bij je moeten blijven toen we de afrit overstaken.'
Ik hoopte dat hij het zou ontkennen. Dat hij zou zeggen dat ik me daar niet druk over moest maken. Maar dat deed hij niet.
'Ik zag je oversteken,' zei hij. 'En ik wilde achter je aan, omdat er achter ons van alles gebeurde. Als je was blijven staan, was alles anders gegaan.'
Ik was verslagen. Ik zag alles weer gebeuren en keek Johnny ontredderd aan. Ik voelde me alsof er een gigantisch rotsblok boven op me lag.
'Ik ben kwaad op je geweest,' ging Johnny verder. 'Dat je alleen

maar aan jezelf dacht en zo. Dat je geen rekening had gehouden met mijn enkel.'
'Ja,' zei ik.
'Maar ja, het was zo'n rotzooi overal. En je liet me niet expres in de steek.'
'Dat niet,' zei ik.
'Dat weet ik, omdat je me daarna niet in de steek hebt gelaten. Omdat ik voel dat we vanaf toen pas echt vrienden zijn geworden.'
Ik had zin hem om zijn nek te vliegen. Ik gaf hem een hand. 'Bedankt,' zei ik.
'Misschien ga ik over een tijd wel weer naar het stadion,' zei hij. 'Dan gaan we samen, goed?'
'Vak G?' vroeg ik.
'Nou, nee.' Hij schudde zijn hoofd. 'Een ander vak. Maar dat spreken we nog wel een keer af.'
'Doen we,' zei ik. 'Ik verheug me er al op.'
'Nog even geduld.' Hij keek naar zijn voet op de stoel.

Ik ging nog even langs mijn oude huis. De tuin was veranderd. De dakkapel was in mijn herinnering veel hoger boven de grond dan in werkelijkheid. Ik stond er een tijdje naar te kijken. Mijn eerste echte zoen, op het dak. Heel apart. Het raam van de dakkapel ernaast was dicht en in de tuin was geen beweging te zien. Ik draaide me om en liep terug. Een eindje verder, bij een kruispunt, zag ik Dana toch. Ze reed aan de overkant voorbij en had me niet in de gaten. Eerst herkende ik haar niet, omdat ze veranderd was. Ze had haar haar eraf. Nou ja, niet helemaal kaal, maar heel kort geschoren. Ik keek haar na. Geen haar voor haar gezicht. Vlak voordat ze de volgende hoek omging, was ze iemand anders geworden.
Ik stak over en liep, met mijn handen in mijn zakken, naar de bushalte. Het rotsblok was van mijn schouders af. Ik voelde me gewichtsloos.

Het duurde nog tot het volgende seizoen voordat we weer naar het stadion gingen. Johnny had voor zijn zestiende verjaardag een

scootertje gekregen en ik mocht op de fiets van zijn moeder. We kochten kaartjes voor de hoofdtribune, vlak bij de spelerstunnel. We zaten op de zesde rij en Johnny kwam met moeite de trap op, maar het ging. Hij had een kussentje meegenomen.
'Ik word ook een dagje ouder,' zei hij met een scheve grijns. Hij begon voorzichtig weer grapjes te maken.
Het vak was vol, maar het was er rustig. Wat me opviel, was dat ook hier bijna iedereen elkaar kende. Ook allemaal seizoenkaarthouders. Het lawaai kwam uit de speakers en van de tribune schuin rechts van ons. Daar was niets veranderd. Een tribune vol clubkleuren en spreekkoren. Ik zag Johnny kijken, maar aan zijn gezicht kon ik niet zien wat hij dacht. Zelf vond ik het een vreemde gewaarwording. Vak G was dichtbij, maar het was niet meer van mij.
Robur deed het in de competitie wel aardig, maar niet buitengewoon. Middenmoot, zeg maar.
Alles ging zoals het ging: *The Eye of the Tiger*, iedereen ging staan, het voorstellen van de spelers, en bij het beginsignaal zat iedereen weer.
'Kom op, Robur! 't Kan nog!' riep een man die twee stoelen verder zat. Ik keek opzij. Hij zat met zijn ellebogen op zijn knieën en wreef in zijn handen. Op de stoel tussen hem en mij in zat zijn vrouw. Ze zag me kijken.
'Dat roept hij altijd, hoor,' zei ze. 'Al dertig jaar.' Het klonk een beetje vermoeid, maar ze lachte er vertederd bij.
Robur speelde tegen Argo/Albatros, dat samen met Robur in de middenmoot stond. Het elftal van Robur was op een paar plaatsen gewijzigd, vergeleken bij een jaar daarvoor. Van Rommy van Bemmel had ik gelezen dat hij was gekocht door de Spaanse club Alaves. Hij deed het daar erg goed. Het was een leuke wedstrijd, met twee aanvallende ploegen. De mensen in het vak leefden mee en er waren heel fanatieke supporters bij. Maar er was een belangrijk verschil met het vak aan de overkant: er was geen haat. We zaten en we bleven zitten. Behalve als Robur scoorde, en dat gebeurde voor de rust twee keer. La Cucaracha!
Naast Johnny zat een oud dametje. Ze was zeker zeventig en had

hem vlak voor de wedstrijd verteld dat ze vroeger altijd met haar man kwam. En toen hij was overleden, was ze blijven komen. Alleen. Voorzichtig keek ik opzij. Wat een supporter.
'Zo leuk,' zei het dametje tegen Johnny, 'dat zingen van die jongelui aan de overkant. Het geeft zo'n sfeer, hè? Alleen jammer dat ik het soms niet zo goed kan verstaan.'
Johnny en ik keken elkaar aan en schoten in de lach, maar ze lette weer op het veld en zag het niet. In de rust gingen we even een broodje bal halen en een bekertje koffie en daarna zaten we weer op onze plek te wachten. Het zonnetje scheen. Het balletje gehakt was niet echt lekker, maar wel warm. Ik keek om me heen. Het was heel gezellig, besefte ik ineens. Toen ik in vak G stond, had ik altijd het idee dat alleen daar geleefd werd en dat het in de rest van het stadion maar een gezapig zooitje was. Nou ja, een beetje gezapig was het wel, maar toch hing ook hier dat gevoel dat we, in elk geval voor anderhalf uur, bij elkaar hoorden. Na de rust gebeurde er eerst een hele tijd niets en de wedstrijd zakte in.
'Moet je niet plassen, ome Jan?' vroeg iemand.
'Ja, nu je het zegt.' Een rij voor ons, op de hoek, kwam een oud mannetje overeind en liep op zijn gemak naar boven.
'Hij mist de helft van alle doelpunten,' zei mijn buurvrouw. 'Als hij moet plassen, wordt er altijd gescoord.'
'Echt?' Ik lachte.
Ze knikte vol overtuiging. 'Echt.'
Een aanval van Robur werd afgeslagen. De keeper van Argo liep tot aan de zestienmeterlijn en gooide de bal met een grote boog naar een van zijn middenvelders, zo'n veertig meter verder. En daar was Bob Colenbrander, net weer op de weg terug naar zijn eigen verdediging. Hij kreeg de bal voor zijn voeten en dacht: vooruit dan maar. De boog was perfect en de keeper van Albatros was nog niet op zijn plek. Zo zie je ze niet vaak. La Cucaracha!
Een minuut later kwam het oude mannetje de trap weer af.
'Oké, ome Jan,' zei de man naast me. Hij stak zijn duim omhoog. 'Klasse.'

Na de wedstrijd, buiten het stadion, zei Johnny: ‘Het is heel anders dan in vak G. Maar wel leuk.’ Ik was het met hem eens. In Groningen ging ik niet naar het voetballen. Ik had niets met die club. Ik was op aanraden van mijn vader op een atletiekvereniging gegaan. Ik kon wel aardig lopen, maar merkte dat records en eerste plaatsen bij marathons voor mij niet weggelegd waren. Ik had me inmiddels met de hele situatie verzoend, al had ik op de tribune wel heimwee gevoeld naar een jaar geleden.
‘Zeg,’ zei Johnny opeens toen hij zijn scooter van het slot haalde, ‘heb je Harry’s zus nog wel eens gesproken?’
‘Nee,’ zei ik. ‘Nooit meer.’
‘Ze is geslaagd voor haar havo,’ zei Johnny. ‘En nu studeert ze aan de Hogeschool, met die vriend van haar.’
‘Nog steeds dezelfde?’ vroeg ik.
‘Ja,’ zei Johnny. ‘Voor zolang het duurt dan.’
Ik liet het even tot me doordringen. Ik dacht aan de zoen op het dak en aan haar huid onder haar T-shirt. Een vlaag van heimwee. Ze zou nooit helemaal verdwijnen, maar ze was ver weg.
We reden de stad in, ik op de fiets en Johnny op zijn scooter. De geluiden achter ons vervaagden en de lichtmasten waren achter de huizen verdwenen.